COLLECTION

FOLIO/THÉÂTRE

Racine

Phèdre

Édition présentée,
établie et annotée
par Christian Delmas
Professeur à l'Université de Toulouse Le Mirail
et Georges Forestier
Professeur à l'Université de Paris-Sorbonne

Gallimard

PRÉFACE

« Au reste, je n'ose encore assurer que cette tragédie soit en effet la meilleure de mes tragédies. Je laisse aux lecteurs et au temps à décider de son véritable prix » (préface de Phèdre, *1677). Le temps a fait son œuvre, et précisément dans le sens qu'espérait Racine. Il a confirmé ce qu'il pensait lui-même et ce que ses admirateurs lui affirmaient : que* Phèdre *est « en effet la meilleure de ses tragédies ». Le temps est même allé au-delà de ce qu'il pouvait imaginer. Lui qui, depuis son entrée dans la carrière théâtrale en 1664, n'aspirait qu'à partager avec Corneille la gloire de plus grand poète tragique français doit à* Phèdre *d'avoir été placé par la postérité au premier rang des auteurs tragiques de tous les temps — devant Corneille, ravalé par là au statut moins enviable de père de la tragédie française.*

Que Phèdre *soit ainsi considérée depuis trois siècles comme la quintessence de la tragédie française, le constat a été dressé depuis si longtemps qu'il en est devenu truisme : le génie racinien est parvenu à réussir la synthèse la plus accomplie entre l'un des plus remarquables sujets de la tragédie grecque et les apports de la dramaturgie française du* XVIIe *siècle, synthèse soutenue par une langue poétique exceptionnelle en son temps. Qui ne veut en rester au truisme — ou à l'explication par le « génie », ou encore par les « ver-*

tus » du classicisme français — doit commencer par revenir aux éléments fondateurs de cette synthèse : les enjeux du genre tragique dans la deuxième moitié du XVII*e siècle et l'évolution des formes dramatiques que Racine pousse jusqu'à leur accomplissement, au terme d'un approfondissement de la réflexion tragique qui le ramène aux sources de la tragédie antique.*

RETROUVER L'ESSENCE DE LA TRAGÉDIE

Dans les années qui séparent Iphigénie, *créée en 1674, et* Phèdre, *créée le 1er janvier 1677, la position de Racine est consolidée, sans être indiscutée : son vieux rival Corneille s'est retiré de la scène avec* Suréna *en 1674, et lui-même procède en 1676 à une édition collective de son théâtre, signe évident de reconnaissance sociale. Mais avec la retraite de Corneille, et la mélancolie qui se dégage de sa dernière tragédie, ce n'est pas seulement le modèle héroïque de la tragédie cornélienne qui se trouve frappé d'obsolescence, mais aussi le principe, ou du moins la dignité du genre tragique. Car le genre est contaminé depuis une vingtaine d'années déjà par le goût pour la tendresse qui après la Fronde prévaut avec la tragédie « galante » de Quinault et Thomas Corneille (frère cadet de Pierre Corneille). Certes, cet infléchissement avait permis à Racine d'inventer une nouvelle dramaturgie, fondée sur l'approfondissement passionnel de l'amour galant, et de retrouver la violence primitive de la tragédie ; mais avec la naissance triomphale de l'opéra français en 1672 sous la férule de Lully, qui choisit précisément Quinault pour librettiste, c'est la prééminence, voire l'existence de la tragédie qui est en cause, d'autant plus que Lully, avec* Atys *en 1676, prétend hausser le nouveau genre jusqu'à la dignité tragique. En effet, à la fin de la Renais-*

sance les spéculations théâtrales des humanistes de la Camerata Bardi à Florence avaient dès 1607 abouti à la création de l'opéra italien avec l'Orfeo de Monteverdi ; à son tour la querelle de l'opéra d'Alceste de Quinault et Lully en 1674 permet à Charles Perrault de présenter la « tragédie lyrique » comme l'authentique restauration de la tragédie grecque à chœurs, prétention qui provoque une réponse acerbe de Racine dans sa préface d'Iphigénie.

Il convient donc de voir en Phèdre la réplique de la tragédie aux prestiges de l'opéra par les moyens du verbe. Mais, en retour, le modèle opératique concurrent autorise le dramaturge à déployer de façon originale des tentations esthétiques jusque-là refrénées dans le cadre de la tragédie à la française. Car sa réflexion sur le genre tragique l'avait d'emblée porté, avec La Thébaïde, puis Andromaque, aux sujets mythologiques ou fabuleux chers au merveilleux d'opéra, et vers lesquels il revient naturellement après avoir dû se confronter, de Britannicus à Mithridate, au modèle cornélien de la tragédie de politique romaine. Significativement, en 1676 le frontispice de l'édition de son théâtre se place sous le patronage de la tragédie grecque antique et de son interprète Aristote, en figurant la Muse tragique régnant par la Crainte et la Pitié, désignées par leurs noms grecs. Au cœur des tensions qui travaillent le genre autour de 1675, l'opéra encourage donc Racine à accentuer les dimensions tragique, psychologique et lyrique de la tragédie française, de manière à fondre en une symphonie originale toutes les virtualités du genre depuis sa résurrection par la volonté des humanistes de la Renaissance.

Bien des tragédies grecques sont tributaires de L'Iliade homérique, de L'Orestie d'Eschyle à L'Andromaque d'Euripide, ou de la fable divine, d'Œdipe de Sophocle à l'Hippolyte d'Euripide. Or, en remontant des temps histo-

*riques, ou considérés comme tels, d'*Iphigénie, *située au seuil de la guerre de Troie, au temps mythique des origines dans* Phèdre, *Racine se donnait la faculté d'accentuer dans sa tragédie la part de merveilleux épique liée à la geste héroïque de Thésée, utilisée en toile de fond. Thésée était précisément le héros de Quinault et Lully dans l'opéra de ce nom en 1675, qui succédait à* Cadmus et Hermione *(1673) et à* Alceste *(1674), où figurait le personnage d'Hercule, le tueur de monstres, salué dans* Phèdre *comme le prédécesseur et le modèle de Thésée. De fait, la tragédie est encadrée par des récits épiques relatifs aux exploits héroïques de Thésée, célébrés avec un enthousiasme juvénile par son fils, qui brûle de marcher sur ses traces, puis ceux d'Hippolyte lui-même, appelé à faire ses preuves devant le monstre marin. Théramène son gouverneur, réservé pour ces scènes, est préposé à écouter ou proférer ces morceaux de bravoure, pleins de l'énumération pompeuse et plastiquement suggestive des brigands et des monstres tués par l'un et par l'autre.*

Tandis qu'Hippolyte est nimbé d'une aura *solaire caractéristique du registre épique, le merveilleux confère une dimension grandiose au prodige du monstre marin, majestueusement décrit, du fait de l'intervention supposée d'un dieu aiguillonnant ses flancs. En vertu d'un animisme primitif les éléments sont intéressés aux événements :*

> Ses longs mugissements font trembler le rivage.
> Le ciel avec horreur voit ce monstre sauvage,
> La terre s'en émeut, l'air en est infecté,
> Le flot, qui l'apporta, recule épouvanté. (V, 6)

Plus tôt, prolongeant ici encore l'explication purement naturelle des faits, Aricie avait rappelé que

[...] la terre humectée
But à regret le sang des neveux d'Érechthée. (II, 1)

Érechthée en effet, dont descend Aricie, est fils de la Terre, de même que Phèdre a pour ancêtre le Soleil et éprouve en elle la présence concrète de Vénus, tandis que Thésée entretient des rapports privilégiés avec Neptune, qui lui doit d'exaucer le vœu de son choix. La généalogie en ces temps primordiaux fait des personnages des « héros » au sens premier du terme, intermédiaires entre les dieux et les hommes.

Par la machinerie verbale d'une éloquence d'apparat, qu'on a parfois qualifiée de « baroque », les dits *héroïques de* Phèdre *sont un équivalent des effets de machinerie qui dans l'opéra concrétisent visuellement les exploits des héros. Toutefois, dans la tragédie l'univers épique renvoie au passé, revu et corrigé par la ferveur d'Hippolyte (I, 1), recréé par Phèdre au labyrinthe (II, 5), ou bien avorte, à peine ouverte la carrière du jeune Hippolyte, dont les chevaux s'emballent dans l'haleine fatale du monstre expirant. Et malgré qu'il en ait, Hippolyte ne peut se dissimuler que son père échoue à joindre à la vaillance la fidélité de cœur, constitutive du héros accompli en Occident depuis la littérature courtoise. Le personnage, venu d'une tradition antique d'héroïsme purement viril, apparaît au XVIIe siècle comme un prototype de Don Juan, prêt à abandonner l'auxiliaire féminine dont le fil l'a pourtant sauvé, et qui dans le présent s'est compromis en faveur d'un ami dans une lamentable équipée aux enfers pour ravir l'épouse de Pluton.*

De ce fait, la trame épique se prête à une reconversion dans le registre tragique. Héros incomplet, et sur le déclin, Thésée est victime de sa propre démesure, aussi bien dans sa récente aventure que dans son emportement aveugle à maudire son fils, qui lui renvoie pourtant une image idéalisée de lui-même. Il transgresse par là les lois qui régissent les relations de proximité, et fournit un cas exemplaire de ces « meurtres entre proches » qui selon Aristote sont la matière privilégiée de la tragédie. Thésée se trouve ainsi accordé — comme à un moindre degré Hippolyte éprouvant pour Aricie un amour frappé d'interdit par son père, comme Aricie elle-même infidèle au vœu de célibat que lui impose Thésée par politique — à l'autre figure, majeure, de la transgression qu'est Phèdre, celle-ci essentiellement et purement tragique en tant qu'adultère et qu'incestueuse, telle que l'a voulue Racine en dépit de la bienséance classique. En effet, ainsi que d'emblée le marque le dramaturge,

> [...] Tout a changé de face
> Depuis que sur ces bords les dieux ont envoyé
> La fille de Minos et de Pasiphaé. (I, 1)

Dans la perspective tragique, les arrière-plans épiques du début, de même que l'invocation initiale de Phèdre à son ancêtre le Soleil, ont pour fonction de mesurer l'écart entre la pureté des origines et le jeu des passions dont la génération des héritiers se trouve le jouet. Comme dans Andromaque *où s'affrontent les fils des héros de la guerre de Troie, et plus nettement que dans ce prélude tragique à la grande épopée de Troie qu'est* Iphigénie, *on assiste avec* Phèdre, *dans un climat de fin de race, à la dégradation de l'épopée en tragédie, qui correspond au processus historique de succession des genres littéraires.*

UNE POÉTIQUE DE LA DÉPLORATION

De la sorte, comme dans la tragédie grecque, une matière épique ou fabuleuse originelle, en l'occurrence une rivalité entre divinités, Artémis et Aphrodite, dont les mortels font les frais chez Euripide, donne lieu à la déploration pathétique des conséquences fatales de l'aveuglement des mortels.

Tous les personnages de Phèdre sont en position de victimes, et leur dimension tragique s'accroît de la conscience qu'ils prennent de cette condition même. En effet, le récit épique de Théramène est aussi un éloge funèbre du héros dont la mort est d'emblée énoncée, victime d'un accident malencontreux, mais surtout de la méprise de Thésée sur le silence pudique observé par Hippolyte. Car Thésée, qui s'est mépris également sur le silence effaré de Phèdre, est lui-même victime de la calomnie d'Œnone, et le doute qui l'assaille après coup à l'acte V, avec la mise en garde d'Aricie et le suicide d'Œnone, ne fait qu'accroître jusqu'à la révélation finale de son infortune un sentiment d'impuissance pathétique devant le mécanisme par lui déclenché. Il n'est pas jusqu'à Aricie, déjà otage et victime de Thésée en tant qu'ultime rejeton de l'ancienne dynastie des Pallantides, qui ne se trouve victime du serment imposé par Hippolyte de taire l'affreuse vérité au roi, alors que le pressentiment du malheur l'étreint. Et Phèdre, quant à elle, vit sa passion comme une malédiction qui la poursuit : hasard de la rencontre et du coup de foudre, hasard malheureux, par la volonté de Thésée, de sa venue à Trézène où elle avait fait exiler Hippolyte, hasard du faux bruit de la mort du roi..., la chaîne des hasards est éprouvée comme une fatalité du malheur, héréditaire à la suite d'Ariane et de Pasiphaé sa mère, concertée par une divinité « à sa proie attachée », secondée par les conseils inconséquents de la nourrice. Des figures divines vindicatives — Neptune pour Thésée, Vénus pour Phèdre — rendent manifeste, comme dans la tragédie grecque, la condition des mortels, dont l'impuissance n'enlève rien au sentiment de culpabilité. De là naissent des oxymores empreints d'ironie tragique :

Je goûtais en tremblant ce funeste plaisir. [...]
Ne précipite point tes funestes bienfaits. (IV, 6 et V, 5)

*Le tragique antique de la déploration, prolongé par la tragédie humaniste de la Renaissance, reposait sur la conscience immédiate d'un malheur inexorable, et parfois déjà advenu, d'où le succès des sujets empruntés à la chute de Troie, d'*Hécube *à* Andromaque. *Or, dans* Phèdre, *la reine a une telle conscience de son destin qu'elle apparaît dès l'entrée mourante et aspirant à mourir : de ce point de vue, la tragédie se structure en liturgie funèbre, comme dans l'*Ajax *de Sophocle, déroulant les préparatifs du sacrifice expiatoire par lequel l'héroïne, en étouffant en elle le désir, entend conserver ou restituer au jour « toute sa pureté ». Racine emprunte non seulement au lyrisme choral antique pour le rôle de pleureuse de Phèdre, mais aussi à la liturgie de la messe des morts, et en particulier au* Dies iræ. *Les monologues, nombreux, se font chant ; en présence même d'Œnone, ou d'Hippolyte, Phèdre s'abstrait par paliers de la réalité en véritables récitatifs d'opéra pour revivre son amour dans une sorte de transe douloureuse (I, 3 ; II, 5). C'est dans ces moments d'état second que jaillissent les incantations poétiques les plus pures :*

Tout m'afflige et me nuit, et conspire à me nuire.[...]
Ariane, ma sœur ! De quel amour blessée
Vous mourûtes aux bords où vous fûtes laissée ? (I, 3)

La pièce s'organise ainsi autour d'un réseau de métaphores poétiques signifiantes : une analogie s'établit entre le labyrinthe crétois et les replis de la passion (II, 5), le Minotaure qui y est enfermé évoque par sa mère Pasiphaé l'amour aberrant lové dans le cœur de Phèdre, plus redoutable que les monstres dont Thésée a purgé la terre. Cet amour mons-

trueux renvoie lui-même au monstre marin surgi du profond courroux de Thésée auquel répond Neptune, pour accabler Hippolyte, qui se voit inversement changé en « monstre » par la calomnie de Phèdre. Semblablement, la « flamme si noire » dont elle est elle-même consumée ne peut qu'offusquer la lumière du Soleil, et le front pourtant si pur du jeune héros.

En s'intériorisant au creux de la conscience souffrante, le merveilleux d'origine épique se voit converti en une vaste machine poétique de structure musicale — ainsi des parallélismes savamment décalés des quatre scènes d'aveux sur les deux premiers actes, à la façon d'un concerto —, qui s'approprie en les transposant les procédés plus extérieurs de l'opéra. Il n'est pas jusqu'au décor « en forme de palais voûté » qui ne tranche sur l'habituelle neutralité du palais à volonté : *suggestif des cavernes primordiales, il semble exceptionnellement fermé par le haut, à l'instar de la grotte de Chiron dans un opéra italien des* Noces de Thétis et de Pélée, *créé à Paris en 1654. L'opéra apparaît bien ici avoir été déterminant dans le retour à l'esprit de la tragédie grecque, dont Racine, en partisan des Anciens, s'institue le champion contre les approximations galantes de l'opéra lulliste dont s'enchante le goût moderne.*

PHÈDRE OU LE TERME D'UNE ÉVOLUTION

Cette conversion de la tragédie à l'intériorité de la conscience est aussi le terme d'une évolution propre au genre. « Racine est préféré à Corneille, et les caractères l'emportent sur les sujets » : le regret formulé par Saint-Évremond vers la fin de l'année 1677, quelques mois après la création de Phèdre, *souligne l'exacte nature de la nouveauté de Racine sur le plan dramaturgique. Pièce dans laquelle le drame personnel qui se joue dans l'âme du personnage éponyme provoque et redouble l'ensemble du drame, qui paraît lui être subordonné,* Phèdre *peut être considérée en effet comme la première tragédie de caractère. Avec* Phèdre, *la tragédie française classique accomplissait de façon éclatante sa lente mutation de tragédie d'intrigue en tragédie de caractère, dix ans après la comédie, pour laquelle* Le Misanthrope *porte témoignage de la même transformation. Et c'est pourquoi elle est en même temps l'ultime chef-d'œuvre d'un genre qui, fasciné par l'exceptionnel équilibre ici obtenu, ne fera plus que se survivre durant un siècle et demi.*

Certes, à qui considère les choses de loin, la nouveauté est peu sensible. Tous les chefs-d'œuvre de Corneille et de Racine sont déjà des affrontements de caractères, particulièrement leurs pièces dites « simples » (Cinna, Suréna *pour l'un ;* Britannicus, Bérénice *pour l'autre), où il n'est d'événements que résultant des pensées, sentiments et passions des personnages, et où abondent les monologues par lesquels les protagonistes dévoilent les troubles de leur âme. Cette dimension psychologique, inconnue du théâtre antique mais proche des interrogations anthropologiques des moralistes français classiques, a fait depuis trois siècles invariablement qualifier nos deux grands tragiques de peintres de la nature humaine. De ce point de vue,* Phèdre *ne fait qu'aller à peine plus loin en ce sens ; mais le pas franchi est décisif, et il conviendra d'en comprendre les modalités, si peu perceptible qu'il soit d'abord. Or, s'il l'est peu, c'est qu'à la différence du* Misanthrope, Phèdre *n'est nullement une succession de tableaux réunis par un fil : la tragédie quant à elle demeure conformément à la tradition pourvue d'une véritable intrigue.*

Phèdre, *en effet, conserve le socle constitutif de toute tragédie moderne, à savoir un schéma d'intrigue politico-*

amoureuse qui ne doit rien à l'Antiquité mais beaucoup au roman héroïque moderne. C'est ainsi que Racine met en place, à la faveur de la disparition de Thésée, un problème complexe de succession dynastique grâce à l'heureuse invention du personnage nouveau d'Aricie, tiré du nom d'une ville italique liée à la légende d'Hippolyte. Non seulement Hippolyte, qui a reçu Trézène en apanage, peut, quoique fils naturel, songer à revendiquer le trône d'Athènes en raison du jeune âge des enfants de Phèdre, mais Aricie, en tant qu'héritière de la dynastie renversée par Thésée, peut également faire valoir ses droits. On a là un cas de figure des problèmes de légitimité dont la tragédie était friande depuis Héraclius *de Corneille. Or Racine affectionne les situations de crise successorale, de* La Thébaïde *à* Britannicus, Bérénice, Bajazet, Mithridate *même, choisies généralement de manière à mettre en compétition des couples de frères ennemis conformément aux recommandations de la* Poétique *d'Aristote, pour qui la proximité des liens de sang est gage d'intensité tragique. Ainsi d'Étéocle et Polynice, Néron et Britannicus, Bajazet et Amurat, Xipharès et Pharnace, Hippolyte et ses demi-frères.*

Selon l'usage, l'enjeu politique est doublé, et compliqué, par des intérêts amoureux, Aricie formant avec Hippolyte le couple de jeunes premiers indispensable à la scène classique, qui ne saurait se contenter de la passion solitaire de Phèdre. La particularité de Racine, à la suite de la tragédie galante, est de ravaler la politique au rôle d'initiateur de l'action, en faisant d'elle non plus un enjeu réel de la tragédie, mais le lieu où s'exprime la passion. De fait, si la crise politique ouverte à la fin de l'acte I par la fausse nouvelle de la mort de Thésée est l'occasion des entrevues à l'acte II d'Hippolyte avec Aricie, puis de Phèdre avec Hippolyte, l'intérêt dynastique n'est au fond qu'un alibi pour ouvrir leurs cœurs, libérés des interdits imposés par Thésée. Phèdre s'oublie devant Hippolyte sans y prendre garde, tellement les alliances tactiques, de Phèdre avec Hippolyte, d'Aricie avec Hippolyte, sont en fait inspirées et dictées par les intérêts de cœur. Il n'est plus question d'elles par la suite, sinon dans la fugitive évocation d'une révolte armée conduite par Hippolyte et Aricie depuis leur exil (V, 1), jusqu'aux vers ultimes de la tragédie où les survivants se résolvent à un pacte d'alliance entre dynasties rivales, Thésée adoptant Aricie pour sa fille en accord avec les volontés suprêmes de son fils.

Qui plus est, l'enjeu politique, et même politico-amoureux, se voit annulé, selon une formule éprouvée dans Mithridate, *par la péripétie majeure du retour impromptu de Thésée qui intervient, symboliquement, au milieu exact de la tragédie, au vers 827 de l'acte III. Au premier schéma d'action, né de la disparition de Thésée, se substitue autour du roi légitime tenu en réserve jusque-là une structure judiciaire visant à restaurer l'ordre et la loi dans le royaume, qui s'inversera elle-même en facteur de trouble plus grave encore. Dans un premier temps, la justice expéditive de Thésée aboutit dès l'acte IV, suite à la plainte d'Œnone et à l'interrogatoire du prévenu, à la malédiction d'Hippolyte, voué à une mort certaine : le roi, à la fois juge et partie, s'est montré sourd aux arguments de la défense. Mais à l'acte V, le doute pousse Thésée à suspendre l'exécution de la sentence, le procès semble devoir se rouvrir devant l'accumulation d'indices troublants, insinuations d'Aricie, suicide d'Œnone, désordre de Phèdre : à son corps défendant le tyran justicier se trouve alors engagé, à l'instar d'Œdipe chez Sophocle, dans une quête de la vérité sur ses actes passés, jusqu'au récit à valeur de plaidoyer de Théramène, et à la réhabilitation posthume, par Phèdre elle-même, du héros sacrifié.*

L'action dans Phèdre *est ainsi faite de péripéties décevantes dont le principe est le mensonge ou la mauvaise foi,* qui s'annulent l'une l'autre comme, symétriquement, les ordres et les contrordres de Phèdre à Œnone jusqu'au revirement décisif de la fin de l'acte IV, lui-même bien tardif, alors que la situation s'est dégradée irrémédiablement : Phèdre le matin mourait digne d'être pleurée, elle meurt dans l'opprobre ; le matin, Hippolyte, Télémaque d'une autre Odyssée, s'élançait vers une quête héroïque de son père, il quitte Trézène pour l'exil, accablé d'une malédiction tragique. Racine, en jouant de l'inhibition d'Hippolyte devant l'amour, devant son père, en jouant du dédoublement de personnalité de Phèdre, qui oscille devant Hippolyte entre retenue et abandon, et se dissocie entre sa conscience et son double noir incarné par Œnone, achève de miner les structures dynamiques de la tragédie d'action mise au point par la génération de Corneille. Sous des velléités inabouties et les sursauts de passion tragiquement retournés contre leurs auteurs, Phèdre ou Thésée, émerge le spectacle à l'antique de l'amor fati, qu'il soit consentement pitoyable ou aveugle élan par rapport à l'hybris de la passion.

La Phèdre racinienne peut ainsi approfondir les virtualités recelées par la structure fondamentale de l'action : en l'absence du père, sa jeune épouse tente de séduire le fils d'un premier lit qui la repousse avec horreur ; humiliée et affolée par le retour de son époux, la marâtre prend les devants en calomniant le fils, que le père condamne à mourir sans entendre ses dénégations. Par là Iphigénie, la tragédie de Racine immédiatement antérieure (1674), et Phèdre n'ont pas seulement Euripide comme point commun : le sujet de l'une et de l'autre pièce consiste dans l'enchaînement des événements (paroles ou actions) qui conduisent un père à sacrifier son enfant ; sujet parfaitement en accord avec la configuration que la Poétique d'Aristote, le bréviaire des dramaturges classiques, présentait comme la plus *susceptible de provoquer le sentiment du tragique : « Les cas où l'événement pathétique survient au sein d'une alliance, par exemple l'assassinat, l'intention d'assassiner ou toute autre action de ce genre entreprise par un frère contre son frère, un fils contre son père, une mère contre son fils ou un fils contre sa mère, ce sont ces cas qu'il faut rechercher. »*

Ainsi envisagée dans le cadre d'un même type d'événement tragique, la différence entre cette tragédie et toutes celles qui l'ont précédée en France saute désormais aux yeux. Dès son origine grecque, la particularité du sujet de Phèdre *tient au fait que ce n'est pas une raison d'ordre supérieur (nécessité politique ou religieuse) ou d'ordre passionnel (haine, ambition) qui provoque le sacrifice du fils par le père. Il y est conduit par la calomnie, une trop grande foi en la parole de son épouse, une trop grande défiance envers un fils aux mœurs sauvages contre qui plaident les apparences. Bref, le père fait mourir son enfant à cause d'un mensonge dont il est la victime trop vite convaincue. En somme — et on prendra peut-être cela pour un paradoxe, dans la mesure où les dieux païens y sont décrits comme omniprésents —* Phèdre *repose sur un sujet dépourvu à l'origine de toute forme de transcendance, et, par là, fondamentalement scandaleux. C'est pourquoi Euripide dans son* Hippolyte *a eu soin de mettre la passion destructrice qu'éprouve Phèdre pour son beau-fils sur le compte d'une intervention directe d'Aphrodite (Vénus), qu'il fait même paraître en scène dans le prologue. C'est pourquoi, inversement, au* XVII*ᵉ siècle le même sujet pourra si facilement tourner son contenu légendaire en contenu historique, par l'adaptation d'un événement tiré de l'histoire de l'Empire romain : la mort de Crispe, exécuté sur l'ordre de son père, l'empereur Constantin, après avoir été tenté puis calomnié* par sa belle-mère Fausta[1]. La particularité de ce sujet — sous sa forme légendaire aussi bien qu'historique — est qu'il confère une place essentielle et exclusive à l'agent humain qui, par son mensonge, provoque le drame. Aussi, dès Euripide la tragédie du fils et du père accordait-elle un rôle important à l'épouse coupable, dont il était nécessaire d'analyser les mobiles afin de souligner par contraste la dimension factice et injuste, et par là même tragique, du conflit mortel entre le père et le fils. On mesure ainsi le sens de l'hommage rendu par Racine à Euripide au début de sa préface : « Quand je ne devrais à Euripide que la seule idée du caractère de Phèdre, je pourrais dire que je lui dois ce que j'ai peut-être mis de plus raisonnable sur le théâtre. » La pièce grecque contenait en effet les prémices d'une tragédie de caractère.

Mais elle ne laissait pas d'être d'abord — et son titre parle clair — la tragédie d'Hippolyte. Il en sera d'ailleurs de même quelques siècles plus tard pour la tragédie latine de Sénèque, malgré un rôle plus actif et plus audacieux conféré à la tentatrice ; et si les copistes qui ont reproduit les manuscrits de Sénèque ont hésité entre les titres de *Phaedra* et d'*Hippolytus*, les poètes modernes qui à partir du XVIe siècle ont imité sa pièce ont toujours choisi le titre d'*Hippolyte*. On peut se représenter la manière dont on concevait un tel sujet une quinzaine d'années avant la *Phèdre* racinienne par la critique que Corneille dirige dans son *Discours de la tragédie* (1660) contre une *Mort de Crispe* italienne : dans cette tragédie, Constantin et Crispe ignorent, comme dans *Œdipe roi*, qu'ils sont père et fils, Constantin ne le découvrant qu'après la mort de son fils. Corneille y réagissait contre l'affadissement du sujet, préfigurant la réaction de Racine qui s'opposera aux facilités

1. Voir la notice, p. 125.

des auteurs français, qui au XVII*e siècle ont traité le sujet d'Hippolyte en faisant de Phèdre la fiancée et non l'épouse de Thésée*[1]*. Mais on voit surtout que, quelle que fût la place accordée par Corneille aux combats intérieurs, aux remords et aux désespoirs de Fauste-Phèdre, il concevait encore le sujet comme celui d'un père conduit à faire périr un fils innocent, l'épouse coupable n'étant que l'agent de l'action tragique. Et il n'est pas sûr que lorsqu'il s'était attaché à ce sujet, Racine en ait eu une conception très différente de celle de Corneille. Comme Pierre Bayle s'en fait l'écho en octobre 1676, le bruit courait que c'était une tragédie d'*Hippolyte *que le poète préparait. Et, tandis qu'en 1677 c'est sous le nom de* Phèdre et Hippolyte *qu'elle fut représentée et publiée, il faudra attendre 1687, à l'occasion de la seconde édition, pour que Racine prenne acte de l'inflexion définitive qu'il venait de donner au sujet en donnant à sa pièce le titre de* Phèdre.

Pour autant, sa Phèdre *est le résultat — probablement non prémédité sous cette forme — d'un exceptionnel* travail *créateur. La première question qui a pu se poser à lui, en effet, fut de savoir quelle image il allait donner de Phèdre dans le cadre de sa tragédie d'*Hippolyte. *On a fait observer depuis longtemps qu'il avait combiné la Phèdre austère, chaste et digne d'Euripide avec la Phèdre furieuse, lascive et coupable de Sénèque ; Paul Bénichou a montré en outre qu'il avait aussi tiré profit des inflexions modernes apportées au sujet pour la rendre jalouse (Hippolyte, comme Crispe, devenant amoureux d'une jeune fille), tout autant que pour lui donner la conscience du péché ; à quoi il faut ajouter la haute idée de ce qu'une reine se doit, apprise chez les reines cornéliennes. L'heureuse audace de Racine est de*

1. Voir la notice, p. 125, et la note 1 de la même page.

n'avoir pas choisi entre l'une ou l'autre de ces images : se voulant le dépositaire moderne *de tout l'art des* Anciens *— un classique, au sens premier du terme —, il a pris le risque de faire une Phèdre contradictoire et, en même temps, presque omniprésente. À partir de là, l'essentiel de son travail a consisté à donner la plus haute cohérence possible à ce personnage qui, chez un autre, serait demeuré éclaté. Il y était aidé par la poétique classique, qui depuis Aristote mettait justement l'accent à la fois sur la cohérence des caractères — prévoyant même le cas d'un personnage dont le caractère serait « inégalement égal », ou, si l'on préfère, incohérent de façon cohérente —, et sur la perfection de la reproduction du caractère choisi.*

Le plus remarquable est que ce souci d'extrême cohérence lui a fait découvrir que la combinaison a priori *impossible des images contradictoires de toutes les Phèdres antérieures lui permettait de dépasser ce qu'avait d'incohérent chacune d'entre elles. Incohérente, en effet, la Phèdre d'Euripide : sa vertu, sa hauteur — bref, la conscience de ce qu'elle se doit — lui conférait une innocence fondamentale dans sa passion coupable qu'elle s'efforçait d'enfouir au plus profond d'elle-même, provoquant ainsi son autodestruction. Son secret révélé malgré elle, elle tâchait de fuir sa honte et de sauver son honneur en se suicidant. Mais ce suicide, elle entendait en faire aussi une vengeance contre Hippolyte et ses mépris, sa mort devant témoigner devant Thésée de la réalité d'une tentative de viol par Hippolyte. Ainsi, toute sa conduite était dictée par son innocence, et la mort, ultime aboutissement d'un comportement innocent, devenait coupable. En combinant cette Phèdre avec celle de Sénèque, presque constamment coupable et qui se tue seulement après la mort d'Hippolyte — suicide présenté à la fois comme une punition du père meurtrier, comme le seul moyen d'apaiser sa passion et comme une tentative d'expiation de sa propre responsabilité —, Racine construisait une nouvelle Phèdre pleinement innocente jusque dans sa mort et pleinement coupable à la réserve de sa mort. Par ce jeu d'oppositions sublimées, Racine concevait un personnage qui, sur le plan psychologique et moral, apparaît comme une véritable allégorie de la condition humaine, et, sur le plan dramaturgique, inscrit « en abyme » dans son propre rôle la fable tragique dont il n'était à l'origine que l'instrument. La tragédie du père et du fils est en effet celle de l'innocence coupable, de l'irresponsabilité responsable : un père aveuglé qui envoie à la mort son fils innocent qu'il croit coupable (tandis que le fils se sent coupable de son amour innocent pour une jeune fille interdite) ; une condamnation trop hâtive qui transforme le juge innocent en coupable monstrueux lorsqu'il découvre l'innocence de celui qu'il a envoyé à la mort. Or cette tragédie de la contradiction s'était déjà jouée sur une autre scène, celle de la conscience de Phèdre, comme le confirment les jeux d'échos précédemment signalés entre d'une part la condamnation monstrueuse d'Hippolyte par Thésée, le monstre suscité par le dieu pour satisfaire au vœu de celui-ci, l'élimination du monstre par Hippolyte avant de mourir, et d'autre part la conscience de sa monstruosité chez une Phèdre qui demande à Hippolyte de « délivrer l'univers d'un monstre qui l'irrite » (v. 701), avant de ne plus voir dans celui qui l'a repoussée qu'un « monstre effroyable à ses yeux » (v. 884), puis de décharger toute la responsabilité du drame sur sa nourrice Œnone, traitée de « monstre exécrable » (v. 1317).*

PHÈDRE, TRAGÉDIE SACRÉE

Ainsi, mieux que l'opéra, genre hybride, la tragédie de Phèdre *combine et résume en elle-même les divers âges du genre tragique, jusqu'à retrouver l'esprit même de la tragédie antique, par la médiation de l'esprit pastoral qui, sous ses deux espèces, nourrit l'imaginaire tragique moderne depuis le* Pyrame et Thisbé *de Théophile de Viau (1621). En effet, la représentation antique de la nature associe Hippolyte à la vierge chasseresse Artémis, dont il est le dévot ; or, l'Hippolyte racinien garde du fruste chasseur d'Euripide le goût et la maladresse de la vie sauvage, même si au* XVIIe *siècle, sous l'influence du genre neuf de la pastorale dramatique, le chasseur se mue ordinairement en gibier d'amour, que chez Racine la fière Aricie se plaît à ployer sous son joug. Cependant, le couple ainsi formé à l'extrémité de la chaîne amoureuse préserve les connotations de pureté associées au héros antique, pour symboliser dans la tragédie l'idéal de l'amour partagé, ou amour pastoral, qui sert de repoussoir aux passions entretenues par la brigue et la cupidité des cours. Le personnage d'Aricie est ainsi conçu comme le double heureux, et à ce titre modulé sur le mode mineur, de la passion solitaire de Phèdre. Et c'est précisément la vision imaginée de ces amours cachées « à l'ombre des forêts », auxquelles elle aspirait pour son compte, qui déclenche sa jalousie meurtrière à l'acte IV. Entre les deux amants s'établit une communication sans ombrage, alors que l'univers tragique est obscurci d'illusions, de malentendus, de silences mal compris, et de paroles précipitées : Phèdre meurt d'avoir parlé, Hippolyte de sa réserve devant Thésée, Aricie ne parle qu'à demi-mot, tandis qu'au contraire Thésée profère une parole hâtive.*

La perversion des liens naturels induit une interrogation, conforme à la vocation de la tragédie, sur la place de l'homme dans l'univers. La seule présence des héros lumineux et malheureux pose la question des valeurs, tandis que les figures divines impliquées dans le drame matérialisent en quelque façon les forces qui, pour une conscience chré-

tienne, se partagent les cœurs et le monde : pôle positif représenté par le Soleil, œil de Dieu, et Minos, le souverain juge, tandis que Vénus et Neptune renvoient au pôle satanique des passions génératrices d'illusion et de mort. Le miracle ici est que cette dimension morale, dont se félicitait Racine dans sa préface, respecte la dimension poétique première du drame humain, quoiqu'il engage l'équilibre cosmique — suprême justification de la présence à l'arrière-plan du registre à la fois épique et mythique.

Drame sacré, Phèdre *l'est cependant plus encore peut-être pour avoir appréhendé l'irrationnel aux sources de la psyché, par exemple dans le sentiment de terreur panique de Phèdre devant la puissance magique du verbe — « C'est toi qui l'as nommé » —, ou de Thésée qui, tel un revenant du séjour des morts aspirant à « se rassasier » de la vue des êtres chers, lui-même « éprouve la terreur qu'il inspire » à autrui, dans un climat de profanation de tabous sacrés qui évoque le théâtre religieux. Or, les sujets qui avaient sollicité l'intérêt de Racine dans ses annotations des tragiques grecs sont précisément ceux qui impliquent un contact avec l'au-delà : descente aux Enfers pour* Orphée *et* Alceste, *sacrifice humain aux dieux d'en-bas pour* Iphigénie en Tauride. *À cet égard, la tragédie biblique* d'Athalie, *qui emprunte elle-même une part notable de son appareil spectaculaire à l'opéra, apparaîtra comme l'exact prolongement de la synthèse d'inspiration humaniste représentée par* Phèdre.

Phèdre, *pour l'harmonisation et le fondu des genres et des tons, par l'étendue de son registre qui s'élève à travers la gamme variée des sentiments humains jusqu'à la représentation de la condition tragique de l'homme, n'en est pas moins un modèle de théâtre total sans équivalent dans le cadre de la tragédie parlée classique.*

Christian Delmas et Georges Forestier

Phèdre[1]

TRAGÉDIE

PRÉFACE

Voici encore une tragédie dont le sujet est pris d'Euripide [1]. Quoique j'aie suivi une route un peu différente de celle de cet auteur pour la conduite de l'action, je n'ai pas laissé d'enrichir ma pièce de tout ce qui m'a paru le plus éclatant [2] dans la sienne. Quand je ne lui devrais que la seule idée du caractère de Phèdre, je pourrais dire que je lui dois ce que j'ai peut-être mis de plus raisonnable sur le théâtre. Je ne suis point étonné que ce caractère ait eu un succès si heureux du temps d'Euripide, et qu'il ait encore si bien réussi dans notre siècle, puisqu'il a toutes les qualités qu'Aristote [3] demande dans le héros de la tragédie, et qui sont propres à exciter la compassion et la terreur. En effet, Phèdre n'est ni tout à fait coupable, ni tout à fait innocente. Elle est engagée par sa destinée, et par la colère des dieux, dans une passion illégitime dont elle a horreur toute la première. Elle fait tous ses efforts pour la surmonter. Elle aime mieux se laisser mourir que de la déclarer à personne. Et, lorsqu'elle est forcée de la découvrir, elle en parle avec une confusion, qui fait bien voir que son crime est plutôt une punition des dieux, qu'un mouvement de sa volonté.

J'ai même pris soin de la rendre un peu moins odieuse qu'elle n'est dans les tragédies des Anciens [1], où elle se résout d'elle-même à accuser Hippolyte. J'ai cru que la calomnie avait quelque chose de trop bas et de trop noir pour la mettre dans la bouche d'une princesse, qui a d'ailleurs des sentiments si nobles et si vertueux. Cette bassesse m'a paru plus convenable à une nourrice, qui pouvait avoir des inclinations plus serviles, et qui néanmoins n'entreprend cette fausse accusation que pour sauver la vie et l'honneur de sa maîtresse. Phèdre n'y donne les mains que parce qu'elle est dans une agitation d'esprit qui la met hors d'elle-même, et elle vient un moment après dans le dessein de justifier l'innocence, et de déclarer la vérité.

Hippolyte est accusé dans Euripide et dans Sénèque d'avoir en effet violé sa belle-mère. *Vim corpus tulit* [2]. Mais il n'est ici accusé que d'en avoir eu le dessein. J'ai voulu épargner à Thésée une confusion qui l'aurait pu rendre moins agréable aux spectateurs.

Pour ce qui est du personnage d'Hippolyte, j'avais remarqué dans les Anciens [3] qu'on reprochait à Euripide de l'avoir représenté comme un philosophe exempt de toute imperfection. Ce qui faisait que la mort de ce jeune prince causait beaucoup plus d'indignation que de pitié. J'ai cru lui devoir donner quelque faiblesse qui le rendrait un peu coupable envers son père, sans pourtant lui rien ôter de cette grandeur d'âme avec laquelle il épargne l'honneur de Phèdre, et se laisse opprimer sans l'accuser. J'appelle faiblesse la passion qu'il ressent malgré lui pour Aricie, qui est la fille et la sœur des ennemis mortels de son père [4].

Cette Aricie n'est point un personnage de mon invention. Virgile [1] dit qu'Hippolyte l'épousa et en eut un fils après qu'Esculape l'eut ressuscité. Et j'ai lu encore dans quelques auteurs [2] qu'Hippolyte avait épousé et emmené en Italie une jeune Athénienne de grande naissance, qui s'appelait Aricie, et qui avait donné son nom à une petite ville d'Italie.

Je rapporte ces autorités, parce que je me suis très scrupuleusement attaché à suivre la fable. J'ai même suivi l'histoire de Thésée telle qu'elle est dans Plutarque [3].

C'est dans cet historien que j'ai trouvé que ce qui avait donné occasion de croire que Thésée fût descendu dans les enfers pour enlever Proserpine, était un voyage que ce prince avait fait en Épire vers la source de l'Achéron, chez un roi dont Pirithoüs voulait enlever la femme, et qui arrêta Thésée prisonnier après avoir fait mourir Pirithoüs [4]. Ainsi j'ai tâché de conserver la vraisemblance de l'histoire, sans rien perdre des ornements de la fable qui fournit extrêmement à la poésie. Et le bruit de la mort de Thésée, fondé sur ce voyage fabuleux, donne lieu à Phèdre de faire une déclaration d'amour, qui devient une des principales causes de son malheur, et qu'elle n'aurait jamais osé faire tant qu'elle aurait cru que son mari était vivant.

Au reste, je n'ose encore assurer que cette pièce soit en effet la meilleure de mes tragédies. Je laisse et aux lecteurs et au temps à décider de son véritable prix. Ce que je puis assurer, c'est que je n'en ai point fait où la vertu soit plus mise en jour que dans celle-ci. Les moindres fautes y sont sévèrement punies. La seule pensée du crime y est regardée avec autant d'horreur que le crime même. Les faiblesses de l'amour y passent pour de vraies faiblesses. Les passions n'y sont présentées aux yeux que pour montrer tout le désordre dont elles sont cause : et le vice y est peint partout avec des couleurs qui en font connaître et haïr la difformité. C'est là proprement le but que tout homme qui travaille pour le public doit se proposer. Et c'est ce que les premiers poètes tragiques avaient en vue sur toute chose. Leur théâtre était une école où la vertu n'était pas moins bien enseignée que dans les écoles des philosophes. Aussi Aristote a bien voulu donner des règles du poème dramatique ; et Socrate, le plus sage des philosophes, ne dédaignait pas de mettre la main aux tragédies d'Euripide [1]. Il serait à souhaiter que nos ouvrages fussent aussi solides et aussi pleins d'utiles instructions que ceux de ces poètes. Ce serait peut-être un moyen de réconcilier la tragédie avec quantité de personnes célèbres par leur piété et par leur doctrine, qui l'ont condamnée dans ces derniers temps, et qui en jugeraient sans doute plus favorablement, si les auteurs songeaient autant à instruire leurs spectateurs qu'à les divertir, et s'ils suivaient en cela la véritable intention de la tragédie [2].

ACTEURS

THÉSÉE, fils d'Égée, roi d'Athènes.
PHÈDRE, femme de Thésée, fille de Minos et de Pasiphaé.
HIPPOLYTE, fils de Thésée, et d'Antiope reine des Amazones.
ARICIE, princesse du sang royal d'Athènes.
ŒNONE, nourrice et confidente de Phèdre.
THÉRAMÈNE, gouverneur d'Hippolyte.
ISMÈNE, confidente d'Aricie.
PANOPE, femme de la suite de Phèdre.
Gardes.

La scène est à Trézène, ville du Péloponnèse.

PHÈDRE

ACTE I

SCÈNE PREMIÈRE

HIPPOLYTE, THÉRAMÈNE

HIPPOLYTE

Le dessein en est pris, je pars, cher Théramène,
Et quitte le séjour de l'aimable Trézène.
Dans le doute mortel dont je suis agité,
Je commence à rougir de mon oisiveté.
5 Depuis plus de six mois éloigné de mon père,
J'ignore le destin d'une tête si chère.
J'ignore jusqu'aux lieux qui le peuvent cacher.

THÉRAMÈNE

Et dans quels lieux, Seigneur, l'allez-vous donc cher-
[cher ?
Déjà pour satisfaire à votre juste crainte,
10 J'ai couru les deux mers que sépare Corinthe [1].
J'ai demandé Thésée aux peuples de ces bords
Où l'on voit l'Achéron se perdre chez les morts.
J'ai visité l'Élide, et laissant le Ténare,
Passé jusqu'à la mer, qui vit tomber Icare.

15 Sur quel espoir nouveau, dans quels heureux climats
Croyez-vous découvrir la trace de ses pas ?
Qui sait même, qui sait si le roi votre père
Veut que de son absence on sache le mystère ?
Et si lorsque avec vous nous tremblons pour ses jours,
20 Tranquille, et nous cachant de nouvelles amours,
Ce héros n'attend point qu'une amante abusée [1]...

HIPPOLYTE

Cher Théramène, arrête, et respecte Thésée.
De ses jeunes erreurs désormais revenu,
Par un indigne obstacle il n'est point retenu ;
25 Et fixant de ses vœux l'inconstance fatale,
Phèdre depuis longtemps ne craint plus de rivale.
Enfin en le cherchant je suivrai mon devoir,
Et je fuirai ces lieux que je n'ose plus voir [2].

THÉRAMÈNE

Hé depuis quand, Seigneur, craignez-vous la pré-
[sence
30 De ces paisibles lieux, si chers à votre enfance,
Et dont je vous ai vu préférer le séjour
Au tumulte pompeux d'Athène et de la cour [3] ?
Quel péril, ou plutôt quel chagrin [4] vous en chasse ?

HIPPOLYTE

Cet heureux temps n'est plus. Tout a changé de face
35 Depuis que sur ces bords les dieux ont envoyé
La fille de Minos et de Pasiphaé [5].

THÉRAMÈNE

J'entends. De vos douleurs la cause m'est connue,
Phèdre ici vous chagrine, et blesse votre vue.
Dangereuse marâtre, à peine elle vous vit,

40 Que votre exil d'abord signala son crédit.
Mais sa haine sur vous autrefois attachée,
Ou s'est évanouie, ou s'est bien relâchée.
Et d'ailleurs, quels périls [1] vous peut faire courir
Une femme mourante, et qui cherche à mourir ?
45 Phèdre atteinte d'un mal qu'elle s'obstine à taire,
Lasse enfin d'elle-même, et du jour qui l'éclaire,
Peut-elle contre vous former quelques desseins ?

HIPPOLYTE

Sa vaine inimitié n'est pas ce que je crains.
Hippolyte en partant fuit une autre ennemie.
50 Je fuis, je l'avouerai, cette jeune Aricie,
Reste d'un sang fatal conjuré contre nous.

THÉRAMÈNE

Quoi ! vous-même, Seigneur, la persécutez-vous ?
Jamais l'aimable sœur des cruels Pallantides [2],
Trempa-t-elle aux complots de ses frères perfides ?
55 Et devez-vous haïr ses innocents appas ?

HIPPOLYTE

Si je la haïssais, je ne la fuirais pas.

THÉRAMÈNE

Seigneur, m'est-il permis d'expliquer votre fuite ?
Pourriez-vous n'être plus ce superbe Hippolyte [3],
Implacable ennemi des amoureuses lois,
60 Et d'un joug que Thésée a subi tant de fois ?
Vénus par votre orgueil si longtemps méprisée,
Voudrait-elle à la fin justifier Thésée ?
Et vous mettant au rang du reste des mortels,
Vous a-t-elle forcé d'encenser ses autels ?
65 Aimeriez-vous, Seigneur ?

HIPPOLYTE

Ami, qu'oses-tu dire ?
Toi qui connais mon cœur depuis que je respire,
Des sentiments d'un cœur si fier, si dédaigneux,
Peux-tu me demander le désaveu honteux ?
C'est peu qu'avec son lait une mère amazone [1]
70 M'ait fait sucer encor cet orgueil qui t'étonne.
Dans un âge plus mûr moi-même parvenu,
Je me suis applaudi, quand je me suis connu.
Attaché près de moi par un zèle sincère,
Tu me contais alors l'histoire de mon père.
75 Tu sais combien mon âme attentive à ta voix,
S'échauffait aux récits de ses nobles exploits ;
Quand tu me dépeignais ce héros intrépide
Consolant les mortels de l'absence d'Alcide [2],
Les monstres étouffés, et les brigands punis,
80 Procruste, Cercyon, et Scirron, et Sinnis,
Et les os dispersés du géant d'Épidaure,
Et la Crète fumant du sang du Minotaure.
Mais quand tu récitais des faits moins glorieux [3],
Sa foi partout offerte, et reçue en cent lieux,
85 Hélène à ses parents dans Sparte dérobée,
Salamine témoin des pleurs de Péribée,
Tant d'autres, dont les noms lui sont même échap-
[pés,
Trop crédules esprits que sa flamme a trompés ;
Ariane aux rochers contant ses injustices [4],
90 Phèdre enlevée enfin sous de meilleurs auspices ;
Tu sais comme à regret écoutant ce discours,
Je te pressais souvent d'en abréger le cours.
Heureux ! si j'avais pu ravir à la mémoire [5]
Cette indigne moitié d'une si belle histoire.
95 Et moi-même à mon tour je me verrais lié ?

Et les dieux jusque-là m'auraient humilié ?
Dans mes lâches soupirs d'autant plus méprisable,
Qu'un long amas d'honneurs rend Thésée excu-
[sable,
Qu'aucuns monstres par moi domptés jusqu'aujour-
[d'hui,
100 Ne m'ont acquis le droit de faillir comme lui.
Quand même ma fierté pourrait s'être adoucie,
Aurais-je pour vainqueur dû choisir Aricie ?
Ne souviendrait-il plus à mes sens égarés
De l'obstacle éternel qui nous a séparés ?
105 Mon père la réprouve, et par des lois sévères
Il défend de donner des neveux à ses frères ;
D'une tige coupable il craint un rejeton.
Il veut avec leur sœur ensevelir leur nom,
Et que jusqu'au tombeau soumise à sa tutelle,
110 Jamais les feux d'hymen ne s'allument pour elle.
Dois-je épouser ses droits contre un père irrité ?
Donnerai-je l'exemple à la témérité ?
Et dans un fol amour ma jeunesse embarquée...

THÉRAMÈNE

Ah, Seigneur ! si votre heure est une fois marquée,
115 Le ciel de nos raisons ne sait point s'informer.
Thésée ouvre vos yeux [1] en voulant les fermer,
Et sa haine irritant une flamme rebelle,
Prête à son ennemie une grâce nouvelle.
Enfin d'un chaste amour pourquoi vous effrayer ?
120 S'il a quelque douceur, n'osez-vous l'essayer ?
En croirez-vous toujours un farouche scrupule ?
Craint-on de s'égarer sur les traces d'Hercule [2] ?
Quels courages Vénus n'a-t-elle pas domptés !
Vous-même où seriez-vous, vous qui la combattez,
125 Si toujours Antiope à ses lois opposée,

D'une pudique ardeur n'eût brûlé pour Thésée [1] ?
Mais que sert d'affecter un superbe discours ?
Avouez-le, tout change. Et depuis quelques jours
On vous voit moins souvent, orgueilleux, et sauvage,
130 Tantôt faire voler un char sur le rivage,
Tantôt savant dans l'art par Neptune inventé [2],
Rendre docile au frein un coursier indompté.
Les forêts de nos cris moins souvent retentissent.
Chargés d'un feu secret vos yeux s'appesantissent.
135 Il n'en faut point douter, vous aimez, vous brûlez.
Vous périssez d'un mal que vous dissimulez.
La charmante Aricie a-t-elle su vous plaire ?

HIPPOLYTE

Théramène, je pars, et vais chercher mon père.

THÉRAMÈNE

Ne verrez-vous point Phèdre avant que de partir,
140 Seigneur ?

HIPPOLYTE

C'est mon dessein, tu peux l'en avertir.
Voyons-la, puisque ainsi mon devoir me l'ordonne.
Mais quel nouveau malheur trouble sa chère
[Œnone ?

SCÈNE II

HIPPOLYTE, ŒNONE

ŒNONE

Hélas, Seigneur ! quel trouble au mien peut être
[égal ?
La reine touche presque à son terme fatal.
145 En vain à l'observer jour et nuit je m'attache.
Elle meurt dans mes bras d'un mal qu'elle me cache.
Un désordre éternel règne dans son esprit.
Son chagrin inquiet l'arrache de son lit.
Elle veut voir le jour ; et sa douleur profonde
150 M'ordonne toutefois d'écarter tout le monde...
Elle vient.

HIPPOLYTE

Il suffit, je la laisse en ces lieux,
Et ne lui montre point un visage odieux.

SCÈNE III

PHÈDRE, ŒNONE

PHÈDRE

N'allons point plus avant. Demeurons, chère Œnone.
Je ne me soutiens plus, ma force m'abandonne.
155 Mes yeux sont éblouis du jour que je revois,
Et mes genoux tremblants se dérobent sous moi.
Hélas !

(Elle s'assied[1]*.)*

ŒNONE

Dieux tout-puissants ! que nos pleurs vous [apaisent.

PHÈDRE

Que ces vains ornements, que ces voiles me pèsent !
Quelle importune main, en formant tous ces nœuds,
160 A pris soin sur mon front d'assembler mes cheveux ?
Tout m'afflige et me nuit, et conspire à me nuire.

ŒNONE

Comme on voit tous ses vœux l'un l'autre se [détruire !
Vous-même condamnant vos injustes desseins,
Tantôt à vous parer vous excitiez nos mains.
165 Vous-même rappelant votre force première,
Vous vouliez vous montrer et revoir la lumière ;
Vous la voyez, Madame, et prête à vous cacher,
Vous haïssez le jour que vous veniez chercher ?

PHÈDRE

Noble et brillant auteur d'une triste famille,
170 Toi, dont ma mère osait se vanter d'être fille,
Qui peut-être rougis du trouble où tu me vois,
Soleil, je te viens voir pour la dernière fois.

ŒNONE

Quoi ! vous ne perdrez point cette cruelle envie ?
Vous verrai-je toujours, renonçant à la vie,
175 Faire de votre mort les funestes apprêts ?

PHÈDRE

Dieux ! Que ne suis-je assise à l'ombre des forêts !
Quand pourrai-je au travers d'une noble poussière
Suivre de l'œil un char fuyant dans la carrière ?

ŒNONE

Quoi, Madame !

PHÈDRE

Insensée, où suis-je ? et qu'ai-je dit ?
180 Où laissé-je égarer mes vœux, et mon esprit ?
Je l'ai perdu. Les dieux m'en ont ravi l'usage.
Œnone, la rougeur me couvre le visage,
Je te laisse trop voir mes honteuses douleurs,
Et mes yeux malgré moi se remplissent de pleurs [1].

ŒNONE

185 Ah ! s'il vous faut rougir, rougissez d'un silence,
Qui de vos maux encore aigrit la violence.
Rebelle à tous nos soins, sourde à tous nos discours,
Voulez-vous sans pitié laisser finir vos jours ?
Quelle fureur [2] les borne au milieu de leur course ?
190 Quel charme [3] ou quel poison en a tari la source ?
Les ombres par trois fois ont obscurci les cieux,
Depuis que le sommeil n'est entré dans vos yeux ;
Et le jour a trois fois chassé la nuit obscure,
Depuis que votre corps languit sans nourriture.
195 À quel affreux dessein vous laissez-vous tenter ?
De quel droit sur vous-même osez-vous attenter ?
Vous offensez les dieux auteurs de votre vie.
Vous trahissez l'époux à qui la foi vous lie,
Vous trahissez enfin vos enfants malheureux,
200 Que vous précipitez sous un joug rigoureux.

Songez qu'un même jour leur ravira leur mère,
Et rendra l'espérance au fils de l'étrangère,
À ce fier ennemi de vous, de votre sang,
Ce fils qu'une Amazone a porté dans son flanc,
205 Cet Hippolyte...

PHÈDRE

Ah dieux !

ŒNONE

Ce reproche vous touche.

PHÈDRE

Malheureuse, quel nom est sorti de ta bouche ?

ŒNONE

Hé bien, votre colère éclate avec raison.
J'aime à vous voir frémir à ce funeste nom.
Vivez donc. Que l'amour, le devoir vous excite [1].
210 Vivez, ne souffrez pas que le fils d'une Scythe,
Accablant vos enfants d'un empire odieux,
Commande au plus beau sang de la Grèce, et des [dieux [2].
Mais ne différez point, chaque moment vous tue.
Réparez promptement votre force abattue,
215 Tandis que de vos jours prêts à se consumer
Le flambeau dure encore, et peut se rallumer.

PHÈDRE

J'en ai trop prolongé la coupable durée.

ŒNONE

Quoi ! de quelques remords êtes-vous déchirée ?
Quel crime a pu produire un trouble si pressant ?

220 Vos mains n'ont point trempé dans le sang inno-
[cent ?

PHÈDRE

Grâces au ciel, mes mains ne sont point criminelles.
Plût aux dieux que mon cœur fût innocent comme
[elles !

ŒNONE

Et quel affreux projet avez-vous enfanté,
Dont votre cœur encor doive être épouvanté ?

PHÈDRE

225 Je t'en ai dit assez. Épargne-moi le reste.
Je meurs, pour ne point faire un aveu si funeste.

ŒNONE

Mourez donc, et gardez un silence inhumain.
Mais pour fermer vos yeux cherchez une autre main.
Quoiqu'il vous reste à peine une faible lumière,
230 Mon âme chez les morts descendra la première.
Mille chemins ouverts y conduisent toujours,
Et ma juste douleur choisira les plus courts.
Cruelle, quand ma foi vous a-t-elle déçue ?
Songez-vous qu'en naissant mes bras vous ont reçue ?
235 Mon pays, mes enfants, pour vous j'ai tout quitté.
Réserviez-vous ce prix à ma fidélité ?

PHÈDRE

Quel fruit espères-tu de tant de violence ?
Tu frémiras d'horreur si je romps le silence.

ŒNONE

Et que me direz-vous, qui ne cède, grands dieux !
240 À l'horreur de vous voir expirer à mes yeux ?

PHÈDRE

Quand tu sauras mon crime, et le sort qui m'accable,
Je n'en mourrai pas moins, j'en mourrai plus cou-
[pable.

ŒNONE

Madame, au nom des pleurs que pour vous j'ai
[versés,
Par vos faibles genoux que je tiens embrassés,
245 Délivrez mon esprit de ce funeste doute.

PHÈDRE

Tu le veux. Lève-toi.

ŒNONE

Parlez. Je vous écoute.

PHÈDRE

Ciel ! que lui vais-je dire ? Et par où commencer ?

ŒNONE

Par de vaines frayeurs cessez de m'offenser.

PHÈDRE

Ô haine de Vénus ! Ô fatale colère !
250 Dans quels égarements l'amour jeta ma mère !

ŒNONE

Oublions-les, Madame. Et qu'à tout l'avenir
Un silence éternel cache ce souvenir.

PHÈDRE

Ariane, ma sœur ! De quel amour blessée,
Vous mourûtes aux bords où vous fûtes laissée ?

ŒNONE

255 Que faites-vous, Madame ? Et quel mortel ennui [1],
Contre tout votre sang vous anime aujourd'hui ?

PHÈDRE

Puisque Vénus le veut, de ce sang déplorable
Je péris la dernière, et la plus misérable [2].

ŒNONE

Aimez-vous ?

PHÈDRE

De l'amour j'ai toutes les fureurs.

ŒNONE

260 Pour qui ?

PHÈDRE

Tu vas ouïr le comble des horreurs.
J'aime... à ce nom fatal je tremble, je frissonne.
J'aime...

ŒNONE

Qui ?

PHÈDRE

Tu connais ce fils de l'Amazone,
Ce prince si longtemps par moi-même opprimé.

ŒNONE

Hippolyte ! Grands dieux !

PHÈDRE

C'est toi qui l'as nommé [1].

ŒNONE

265 Juste ciel ! tout mon sang dans mes veines se glace.
Ô désespoir ! Ô crime ! Ô déplorable race !
Voyage infortuné ! Rivage malheureux !
Fallait-il approcher de tes bords dangereux ?

PHÈDRE

Mon mal vient de plus loin. À peine au fils d'Égée,
270 Sous les lois de l'hymen je m'étais engagée,
Mon repos, mon bonheur semblait être affermi,
Athènes me montra mon superbe ennemi.
Je le vis, je rougis, je pâlis à sa vue.
Un trouble s'éleva dans mon âme éperdue.
275 Mes yeux ne voyaient plus, je ne pouvais parler,
Je sentis tout mon corps et transir, et brûler [2].
Je reconnus Vénus, et ses feux redoutables,
D'un sang qu'elle poursuit tourments inévitables [3].
Par des vœux assidus je crus les détourner,
280 Je lui bâtis un temple, et pris soin de l'orner.
De victimes moi-même à toute heure entourée,
Je cherchais dans leurs flancs ma raison égarée,
D'un incurable amour remèdes impuissants !
En vain sur les autels ma main brûlait l'encens,
285 Quand ma bouche implorait le nom de la déesse,
J'adorais Hippolyte, et le voyant sans cesse,
Même au pied des autels que je faisais fumer,
J'offrais tout à ce dieu, que je n'osais nommer.

son père.

e,

s.
e
nocence.
uis,

ée

cachée ;
ée.]
J'ai conçu pour mon crime une juste terreur.
J'ai pris la vie en haine, et ma flamme en horreur.
Je voulais en mourant prendre soin de ma gloire,
310 Et dérober au jour une flamme si noire.
Je n'ai pu soutenir tes larmes, tes combats.
Je t'ai tout avoué, je ne m'en repens pas,
Pourvu que de ma mort respectant les approches
Tu ne m'affliges plus par d'injustes reproches,
315 Et que tes vains secours cessent de rappeler
Un reste de chaleur, tout prêt à s'exhaler.

l'amour comme destin
action transcendante

SCÈNE IV

PHÈDRE, ŒNONE, PANOPE

PANOPE

Je voudrais vous cacher une triste nouvelle,
Madame. Mais il faut que je vous la révèle.
La mort vous a ravi votre invincible époux,
320 Et ce malheur n'est plus ignoré que de vous.

ŒNONE

Panope, que dis-tu ?

PANOPE

Que la reine abusée
En vain demande au ciel le retour de Thésée,
Et que par des vaisseaux arrivés dans le port
Hippolyte son fils vient d'apprendre sa mort.

PHÈDRE

325 Ciel !

PANOPE

Pour le choix d'un maître Athènes se partage.
Au prince votre fils l'un donne son suffrage,
Madame, et de l'État l'autre oubliant les lois
Au fils de l'étrangère ose donner sa voix.
On dit même qu'au trône une brigue [1] insolente
330 Veut placer Aricie, et le sang de Pallante.
J'ai cru de ce péril vous devoir avertir.
Déjà même Hippolyte est tout prêt à partir,

Et l'on craint, s'il paraît dans ce nouvel orage,
Qu'il n'entraîne après lui tout un peuple volage.

ŒNONE

335 Panope, c'est assez. La reine qui t'entend,
Ne négligera point cet avis important.

SCÈNE V

PHÈDRE, ŒNONE

ŒNONE

Madame, je cessais de vous presser de vivre.
Déjà même au tombeau je songeais à vous suivre.
Pour vous en détourner je n'avais plus de voix.
340 Mais ce nouveau malheur [1] vous prescrit d'autres lois.
Votre fortune change et prend une autre face [2].
Le roi n'est plus, Madame, il faut prendre sa place.
Sa mort vous laisse un fils à qui vous vous devez,
Esclave, s'il vous perd, et roi, si vous vivez.
345 Sur qui dans son malheur voulez-vous qu'il s'appuie ?
Ses larmes n'auront plus de main qui les essuie.
Et ses cris innocents portés jusques aux dieux,
Iront contre sa mère irriter ses aïeux.
Vivez, vous n'avez plus de reproche à vous faire.
350 Votre flamme devient une flamme ordinaire.
Thésée en expirant vient de rompre les nœuds,
Qui faisaient tout le crime et l'horreur de vos feux.
Hippolyte pour vous devient moins redoutable,
Et vous pouvez le voir sans vous rendre coupable.
355 Peut-être convaincu de votre aversion
Il va donner un chef à la sédition.

Détrompez son erreur, fléchissez son courage.
Roi de ces bords heureux, Trézène est son partage.
Mais il sait que les lois donnent à votre fils
360 Les superbes remparts que Minerve a bâtis [1].
Vous avez l'un et l'autre une juste [2] ennemie.
Unissez-vous tous deux pour combattre Aricie.

PHÈDRE

Hé bien ! À tes conseils je me laisse entraîner,
Vivons, si vers la vie on peut me ramener,
365 Et si l'amour d'un fils en ce moment funeste
De mes faibles esprits peut ranimer le reste.

Fin du premier acte.

ACTE II

SCÈNE PREMIÈRE

ARICIE, ISMÈNE

ARICIE

Hippolyte demande à me voir en ce lieu ?
Hippolyte me cherche, et veut me dire adieu ?
Ismène, dis-tu vrai ? N'es-tu point abusée ?

ISMÈNE

370 C'est le premier effet de la mort de Thésée.
Préparez-vous, Madame, à voir de tous côtés
Voler vers vous les cœurs par Thésée écartés.
Aricie à la fin de son sort est maîtresse,
Et bientôt à ses pieds verra toute la Grèce.

ARICIE

375 Ce n'est donc point, Ismène, un bruit mal affermi ?
Je cesse d'être esclave, et n'ai plus d'ennemi ?

ISMÈNE

Non, Madame, les dieux ne vous sont plus contraires,
Et Thésée a rejoint les mânes de vos frères.

ARICIE

Dit-on quelle aventure a terminé ses jours ?

ISMÈNE

380 On sème de sa mort d'incroyables discours.
On dit que ravisseur d'une amante nouvelle
Les flots ont englouti cet époux infidèle.
On dit même, et ce bruit est partout répandu,
Qu'avec Pirithoüs aux enfers descendu[1]
385 Il a vu le Cocyte et les rivages sombres,
Et s'est montré vivant aux infernales ombres ;
Mais qu'il n'a pu sortir de ce triste séjour,
Et repasser les bords, qu'on passe sans retour.

ARICIE

Croirai-je qu'un mortel avant sa dernière heure
390 Peut pénétrer des morts la profonde demeure ?
Quel charme l'attirait sur ces bords redoutés ?

ISMÈNE

Thésée est mort, Madame, et vous seule en doutez.
Athènes en gémit, Trézène en est instruite,
Et déjà pour son roi reconnaît Hippolyte.
395 Phèdre dans ce palais tremblante pour son fils,
De ses amis troublés demande les avis.

ARICIE

Et tu crois que pour moi plus humain que son père
Hippolyte rendra ma chaîne plus légère ?
Qu'il plaindra mes malheurs ?

ISMÈNE

Madame, je le crois.

ARICIE

400 L'insensible Hippolyte est-il connu de toi ?
Sur quel frivole espoir penses-tu qu'il me plaigne,
Et respecte en moi seule un sexe qu'il dédaigne ?
Tu vois depuis quel temps il évite nos pas,
Et cherche tous les lieux où nous ne sommes pas.

ISMÈNE

405 Je sais de ses froideurs tout ce que l'on récite.
Mais j'ai vu près de vous ce superbe Hippolyte.
Et même, en le voyant, le bruit [1] de sa fierté
A redoublé pour lui ma curiosité.
Sa présence à ce bruit n'a point paru répondre.
410 Dès vos premiers regards je l'ai vu se confondre.
Ses yeux, qui vainement voulaient vous éviter,
Déjà pleins de langueur ne pouvaient vous quitter.
Le nom d'amant peut-être offense son courage.
Mais il en a les yeux, s'il n'en a le langage.

ARICIE

415 Que mon cœur, chère Ismène, écoute avidement
Un discours, qui peut-être a peu de fondement !
Ô toi ! qui me connais, te semblait-il croyable
Que le triste jouet d'un sort impitoyable,
Un cœur toujours nourri d'amertume et de pleurs,
420 Dût connaître l'amour, et ses folles douleurs ?
Reste du sang d'un roi, noble fils de la terre [2],
Je suis seule échappée aux fureurs de la guerre,
J'ai perdu dans la fleur de leur jeune saison
Six frères [3], quel espoir d'une illustre maison !

425 Le fer moissonna tout, et la terre humectée
But à regret le sang des neveux [1] d'Érechthée.
Tu sais depuis leur mort quelle sévère loi
Défend à tous les Grecs de soupirer pour moi.
On craint que de la sœur les flammes téméraires
430 Ne raniment un jour la cendre de ses frères.
Mais tu sais bien aussi de quel œil dédaigneux
Je regardais ce soin d'un vainqueur soupçonneux.
Tu sais que de tout temps à l'amour opposée,
Je rendais souvent grâce à l'injuste Thésée
435 Dont l'heureuse rigueur secondait mes mépris.
Mes yeux alors, mes yeux n'avaient pas vu son fils.
Non que par les yeux seuls lâchement enchantée
J'aime en lui sa beauté, sa grâce tant vantée,
Présents dont la nature a voulu l'honorer,
440 Qu'il méprise lui-même, et qu'il semble ignorer.
J'aime, je prise en lui de plus nobles richesses,
Les vertus de son père, et non point les faiblesses.
J'aime, je l'avouerai, cet orgueil généreux [2]
Qui jamais n'a fléchi sous le joug amoureux.
445 Phèdre en vain s'honorait des soupirs de Thésée.
Pour moi, je suis plus fière, et fuis la gloire aisée
D'arracher un hommage à mille autres offert,
Et d'entrer dans un cœur de toutes parts ouvert.
Mais de faire fléchir un courage [3] inflexible,
450 De porter la douleur dans une âme insensible,
D'enchaîner un captif de ses fers étonné,
Contre un joug qui lui plaît vainement mutiné ;
C'est là ce que je veux, c'est là ce qui m'irrite [4].
Hercule à désarmer coûtait moins qu'Hippolyte,
455 Et vaincu plus souvent, et plus tôt surmonté
Préparait moins de gloire aux yeux qui l'ont dompté.
Mais, chère Ismène, hélas ! quelle est mon impru-
[dence !

On ne m'opposera que trop de résistance.
Tu m'entendras peut-être, humble dans mon ennui,
460 Gémir du même orgueil que j'admire aujourd'hui.
Hippolyte aimerait ? Par quel bonheur extrême
Aurais-je pu fléchir...

ISMÈNE

Vous l'entendrez lui-même.
Il vient à vous.

SCÈNE II

HIPPOLYTE, ARICIE, ISMÈNE

HIPPOLYTE

Madame, avant que de partir,
J'ai cru de votre sort vous devoir avertir.
465 Mon père ne vit plus. Ma juste défiance
Présageait les raisons de sa trop longue absence.
La mort seule bornant ses travaux éclatants
Pouvait à l'univers le cacher si longtemps.
Les dieux livrent enfin à la Parque homicide
470 L'ami, le compagnon, le successeur d'Alcide.
Je crois que votre haine, épargnant ses vertus,
Écoute sans regret ces noms qui lui sont dus.
Un espoir adoucit ma tristesse mortelle.
Je puis vous affranchir d'une austère tutelle.
475 Je révoque des lois dont j'ai plaint la rigueur,
Vous pouvez disposer de vous, de votre cœur.
Et dans cette Trézène aujourd'hui mon partage,
De mon aïeul Pitthée autrefois l'héritage [1],

Qui m'a sans balancer reconnu pour son roi,
480 Je vous laisse aussi libre, et plus libre que moi.

ARICIE

Modérez des bontés, dont l'excès m'embarrasse.
D'un soin [1] si généreux honorer ma disgrâce,
Seigneur, c'est me ranger, plus que vous ne pensez,
Sous ces austères lois, dont vous me dispensez.

HIPPOLYTE

485 Du choix d'un successeur Athènes incertaine
Parle de vous, me nomme, et le fils de la reine.

ARICIE

De moi, Seigneur ?

HIPPOLYTE

Je sais, sans vouloir me flatter,
Qu'une superbe loi semble me rejeter.
La Grèce me reproche une mère étrangère [2].
490 Mais si pour concurrent je n'avais que mon frère,
Madame, j'ai sur lui de véritables droits
Que je saurais sauver du caprice des lois.
Un frein plus légitime arrête mon audace.
Je vous cède, ou plutôt je vous rends une place,
495 Un sceptre, que jadis vos aïeux ont reçu
De ce fameux mortel que la terre a conçu [3].
L'adoption le mit entre les mains d'Égée [4].
Athènes par mon père accrue, et protégée
Reconnut avec joie un roi si généreux [5],
500 Et laissa dans l'oubli vos frères malheureux.
Athènes dans ses murs maintenant vous rappelle.
Assez elle a gémi d'une longue querelle,
Assez dans ses sillons votre sang englouti

A fait fumer le champ dont il était sorti.
505 Trézène m'obéit. Les campagnes de Crète
Offrent au fils de Phèdre une riche retraite.
L'Attique est votre bien. Je pars, et vais pour vous
Réunir tous les vœux partagés entre nous.

ARICIE

De tout ce que j'entends étonnée et confuse
510 Je crains presque, je crains qu'un songe ne m'abuse.
Veillé-je ? Puis-je croire un semblable dessein ?
Quel dieu, Seigneur, quel dieu l'a mis dans votre
[sein ?
Qu'à bon droit votre gloire en tous lieux est semée !
Et que la vérité passe la renommée !
515 Vous-même en ma faveur vous voulez vous trahir !
N'était-ce pas assez de ne me point haïr ?
Et d'avoir si longtemps pu défendre votre âme
De cette inimitié...

HIPPOLYTE

Moi, vous haïr, Madame ?
Avec quelques couleurs qu'on ait peint ma fierté,
520 Croit-on que dans ses flancs un monstre m'ait porté ?
Quelles sauvages mœurs, quelle haine endurcie
Pourrait, en vous voyant, n'être point adoucie ?
Ai-je pu résister au charme décevant [1]...

ARICIE

Quoi, Seigneur ?

HIPPOLYTE

Je me suis engagé trop avant.
525 Je vois que la raison cède à la violence.
Puisque j'ai commencé de rompre le silence,
Madame, il faut poursuivre. Il faut vous informer

D'un secret, que mon cœur ne peut plus renfermer.
Vous voyez devant vous un prince déplorable [1],
530 D'un téméraire orgueil exemple mémorable.
Moi, qui contre l'amour fièrement révolté,
Aux fers de ses captifs ai longtemps insulté,
Qui des faibles mortels déplorant les naufrages,
Pensais toujours du bord contempler les orages,
535 Asservi maintenant sous la commune loi,
Par quel trouble me vois-je emporté loin de moi !
Un moment a vaincu mon audace imprudente.
Cette âme si superbe est enfin dépendante.
Depuis près de six mois honteux, désespéré,
540 Portant partout le trait [2], dont je suis déchiré,
Contre vous, contre moi vainement je m'éprouve [3].
Présente je vous fuis, absente je vous trouve.
Dans le fond des forêts votre image me suit.
La lumière du jour, les ombres de la nuit,
545 Tout retrace à mes yeux les charmes que j'évite.
Tout vous livre à l'envi le rebelle Hippolyte.
Moi-même pour tout fruit de mes soins superflus,
Maintenant je me cherche, et ne me trouve plus.
Mon arc, mes javelots, mon char, tout m'importune.
550 Je ne me souviens plus des leçons de Neptune.
Mes seuls gémissements font retentir les bois,
Et mes coursiers oisifs ont oublié ma voix.
Peut-être le récit d'un amour si sauvage
Vous fait en m'écoutant rougir de votre ouvrage.
555 D'un cœur qui s'offre à vous quel farouche entre-
[tien !
Quel étrange captif pour un si beau lien !
Mais l'offrande à vos yeux en doit être plus chère.
Songez que je vous parle une langue étrangère,
Et ne rejetez pas des vœux mal exprimés,
560 Qu'Hippolyte sans vous n'aurait jamais formés.

SCÈNE III

HIPPOLYTE, ARICIE, THÉRAMÈNE, ISMÈNE

THÉRAMÈNE

Seigneur, la reine vient, et je l'ai devancée.
Elle vous cherche.

HIPPOLYTE

Moi !

THÉRAMÈNE

J'ignore sa pensée,
Mais on vous est venu demander de sa part.
Phèdre veut vous parler avant votre départ.

HIPPOLYTE

565 Phèdre ? Que lui dirai-je ? Et que peut-elle attendre...

ARICIE

Seigneur, vous ne pouvez refuser de l'entendre.
Quoique trop convaincu de son inimitié,
Vous devez à ses pleurs quelque ombre de pitié.

HIPPOLYTE

Cependant vous sortez. Et je pars. Et j'ignore
570 Si je n'offense point les charmes que j'adore.
J'ignore si ce cœur que je laisse en vos mains...

ARICIE

Partez, Prince, et suivez vos généreux desseins.
Rendez de mon pouvoir Athènes tributaire.

J'accepte tous les dons que vous me voulez faire.
575 Mais cet empire enfin si grand, si glorieux,
N'est pas de vos présents le plus cher à mes yeux.

SCÈNE IV

HIPPOLYTE, THÉRAMÈNE

HIPPOLYTE

Ami, tout est-il prêt ? Mais la reine s'avance.
Va, que pour le départ tout s'arme en diligence.
Fais donner le signal, cours, ordonne, et reviens
580 Me délivrer bientôt d'un fâcheux entretien.

SCÈNE V

PHÈDRE, HIPPOLYTE, ŒNONE

PHÈDRE *à Œnone.*

Le voici. Vers mon cœur tout mon sang se retire.
J'oublie, en le voyant, ce que je viens lui dire.

ŒNONE

Souvenez-vous d'un fils qui n'espère qu'en vous.

PHÈDRE

On dit qu'un prompt départ vous éloigne de nous,
585 Seigneur. À vos douleurs je viens joindre mes larmes.
Je vous viens pour un fils expliquer mes alarmes.
Mon fils n'a plus de père, et le jour n'est pas loin
Qui de ma mort encor doit le rendre témoin.

Déjà mille ennemis attaquent son enfance,
590 Vous seul pouvez contre eux embrasser sa défense.
Mais un secret remords agite mes esprits.
Je crains d'avoir fermé votre oreille à ses cris.
Je tremble que sur lui votre juste colère
Ne poursuive bientôt une odieuse mère.

HIPPOLYTE

595 Madame, je n'ai point des sentiments si bas.

PHÈDRE

Quand vous me haïriez je ne m'en plaindrais pas,
Seigneur. Vous m'avez vue attachée à vous nuire ;
Dans le fond de mon cœur vous ne pouviez pas lire.
À votre inimitié j'ai pris soin de m'offrir.
600 Aux bords que j'habitais je n'ai pu vous souffrir.
En public, en secret contre vous déclarée,
J'ai voulu par des mers en être séparée.
J'ai même défendu par une expresse loi
Qu'on osât prononcer votre nom devant moi.
605 Si pourtant à l'offense on mesure la peine,
Si la haine peut seule attirer votre haine,
Jamais femme ne fut plus digne de pitié,
Et moins digne, Seigneur, de votre inimitié.

HIPPOLYTE

Des droits de ses enfants une mère jalouse
610 Pardonne rarement au fils d'une autre épouse.
Madame, je le sais. Les soupçons importuns
Sont d'un second hymen les fruits les plus communs.
Toute autre aurait pour moi pris les mêmes om-
[brages [1],
Et j'en aurais peut-être essuyé plus d'outrages.

PHÈDRE

615 Ah, Seigneur ! Que le ciel, j'ose ici l'attester,
De cette loi commune a voulu m'excepter !
Qu'un soin bien différent me trouble, et me dévore !

HIPPOLYTE

Madame, il n'est pas temps de vous troubler encore.
Peut-être votre époux voit encore le jour.
620 Le ciel peut à nos pleurs accorder son retour.
Neptune le protège, et ce dieu tutélaire
Ne sera pas en vain imploré par mon père.

PHÈDRE

On ne voit point deux fois le rivage des morts,
Seigneur. Puisque Thésée a vu les sombres bords,
625 En vain vous espérez qu'un dieu vous le renvoie,
Et l'avare Achéron ne lâche point sa proie.
Que dis-je ? Il n'est point mort, puisqu'il respire en
[vous.
Toujours devant mes yeux je crois voir mon époux.
Je le vois, je lui parle, et mon cœur... Je m'égare,
630 Seigneur, ma folle ardeur malgré moi se déclare.

HIPPOLYTE

Je vois de votre amour l'effet prodigieux.
Tout mort qu'il est, Thésée est présent à vos yeux.
Toujours de son amour votre âme est embrasée.

PHÈDRE

Oui, Prince, je languis, je brûle pour Thésée.
635 Je l'aime, non point tel que l'ont vu les enfers,
Volage adorateur de mille objets divers,
Qui va du dieu des morts déshonorer la couche ;

Mais fidèle, mais fier, et même un peu farouche,
Charmant, jeune, traînant tous les cœurs après soi,
640 Tel qu'on dépeint nos dieux, ou tel que je vous vois.
Il avait votre port, vos yeux, votre langage.
Cette noble pudeur colorait son visage,
Lorsque de notre Crète il traversa les flots,
Digne sujet des vœux des filles de Minos.
645 Que faisiez-vous alors ? Pourquoi sans Hippolyte
Des héros de la Grèce assembla-t-il l'élite ?
Pourquoi trop jeune encor ne pûtes-vous alors
Entrer dans le vaisseau qui le mit sur nos bords ?
Par vous aurait péri le monstre de la Crète
650 Malgré tous les détours de sa vaste retraite [1].
Pour en développer l'embarras incertain
Ma sœur du fil fatal eût armé votre main.
Mais non, dans ce dessein je l'aurais devancée.
L'amour m'en eût d'abord inspiré la pensée.
655 C'est moi, Prince, c'est moi, dont l'utile secours
Vous eût du Labyrinthe enseigné les détours.
Que de soins m'eût coûtés cette tête charmante !
Un fil n'eût point assez rassuré votre amante.
Compagne du péril qu'il vous fallait chercher,
660 Moi-même devant vous j'aurais voulu marcher,
Et Phèdre au labyrinthe avec vous descendue,
Se serait avec vous retrouvée, ou perdue.

HIPPOLYTE

Dieux ! Qu'est-ce que j'entends ? Madame, oubliez-
[vous
Que Thésée est mon père, et qu'il est votre époux ?

PHÈDRE

665 Et sur quoi jugez-vous que j'en perds la mémoire,
Prince ? Aurais-je perdu tout le soin de ma gloire ?

HIPPOLYTE

Madame, pardonnez. J'avoue en rougissant,
Que j'accusais à tort un discours innocent.
Ma honte ne peut plus soutenir votre vue.
670 Et je vais...

PHÈDRE

Ah ! cruel, tu m'as trop entendue.
Je t'en ai dit assez pour te tirer d'erreur.
Hé bien, connais donc Phèdre et toute sa fureur.
J'aime. Ne pense pas qu'au moment que je t'aime,
Innocente à mes yeux je m'approuve moi-même,
675 Ni que du fol amour qui trouble ma raison
Ma lâche complaisance ait nourri le poison.
Objet infortuné des vengeances célestes,
Je m'abhorre encor plus que tu ne me détestes.
Les dieux m'en sont témoins, ces dieux qui dans mon [flanc
680 Ont allumé le feu fatal à tout mon sang,
Ces dieux qui se sont fait une gloire cruelle
De séduire le cœur d'une faible mortelle.
Toi-même en ton esprit rappelle le passé.
C'est peu de t'avoir fui, cruel, je t'ai chassé.
685 J'ai voulu te paraître odieuse, inhumaine.
Pour mieux te résister, j'ai recherché ta haine.
De quoi m'ont profité mes inutiles soins ?
Tu me haïssais plus, je ne t'aimais pas moins.
Tes malheurs te prêtaient encor de nouveaux char- [mes.
690 J'ai langui, j'ai séché, dans les feux, dans les larmes.
Il suffit de tes yeux pour t'en persuader,
Si tes yeux un moment pouvaient me regarder.
Que dis-je ? Cet aveu que je te viens de faire,

Cet aveu si honteux, le crois-tu volontaire ?
695 Tremblante pour un fils que je n'osais trahir,
Je te venais prier de ne le point haïr.
Faibles projets d'un cœur trop plein de ce qu'il aime !
Hélas ! je ne t'ai pu parler que de toi-même.
Venge-toi, punis-moi d'un odieux amour.
700 Digne fils du héros qui t'a donné le jour,
Délivre l'univers d'un monstre qui t'irrite.
La veuve de Thésée ose aimer Hippolyte ?
Crois-moi, ce monstre affreux ne doit point t'échap-
[per.
Voilà mon cœur. C'est là que ta main doit frapper.
705 Impatient déjà d'expier son offense
Au-devant de ton bras je le sens qui s'avance.
Frappe. Ou si tu le crois indigne de tes coups,
Si ta haine m'envie un supplice si doux [1],
Ou si d'un sang trop vil ta main serait trempée,
710 Au défaut de ton bras prête-moi ton épée.
Donne [2].

Elle prend l'épée → acte masculin,

ŒNONE

Que faites-vous, Madame ? Justes dieux !
Mais on vient. Évitez des témoins odieux, scandaleux
Venez, rentrez, fuyez une honte certaine.

SCÈNE VI

HIPPOLYTE, THÉRAMÈNE

THÉRAMÈNE

Est-ce Phèdre qui fuit, ou plutôt qu'on entraîne ?
715 Pourquoi, Seigneur, pourquoi ces marques de dou-
[leur ?
Je vous vois sans épée, interdit, sans couleur ?

HIPPOLYTE

Théramène, fuyons. Ma surprise est extrême.
Je ne puis sans horreur me regarder moi-même.
Phèdre... Mais non, grands dieux ! Qu'en un pro-
[fond oubli
720 Cet horrible secret demeure enseveli.

THÉRAMÈNE

Si vous voulez partir, la voile est préparée.
Mais Athènes, Seigneur, s'est déjà déclarée.
Ses chefs ont pris les voix de toutes ses tribus.
Votre frère l'emporte, et Phèdre a le dessus.

HIPPOLYTE

725 Phèdre ?

THÉRAMÈNE

Un héraut chargé des volontés d'Athènes
De l'État en ses mains vient remettre les rênes.
Son fils est roi, Seigneur.

HIPPOLYTE

Dieux, qui la connaissez,
Est-ce donc sa vertu que vous récompensez ?

THÉRAMÈNE

Cependant un bruit sourd veut que le roi respire.
730 On prétend que Thésée a paru dans l'Épire.
Mais moi, qui l'y cherchai, Seigneur, je sais trop
[bien...

HIPPOLYTE

N'importe, écoutons tout, et ne négligeons rien.
Examinons ce bruit, remontons à sa source.
S'il ne mérite pas d'interrompre ma course,
735 Partons, et quelque prix qu'il en puisse coûter,
Mettons le sceptre aux mains dignes de le porter.

Fin du second acte.

ACTE III

SCÈNE PREMIÈRE

PHÈDRE, ŒNONE

PHÈDRE

Ah ! que l'on porte ailleurs les honneurs qu'on
[m'envoie.
Importune, peux-tu souhaiter qu'on me voie ?
De quoi viens-tu flatter mon esprit désolé ?
740 Cache-moi bien plutôt, je n'ai que trop parlé.
Mes fureurs au dehors ont osé se répandre.
J'ai dit ce que jamais on ne devait entendre.
Ciel ! comme il m'écoutait ! par combien de détours
L'insensible a longtemps éludé mes discours !
745 Comme il ne respirait qu'une retraite prompte [1] !
Et combien sa rougeur a redoublé ma honte !
Pourquoi détournais-tu mon funeste dessein ?
Hélas ! quand son épée allait chercher mon sein,
A-t-il pâli pour moi ? Me l'a-t-il arrachée ?
750 Il suffit que ma main l'ait une fois touchée,
Je l'ai rendue horrible à ses yeux inhumains,
Et ce fer malheureux profanerait ses mains.

ŒNONE

Ainsi dans vos malheurs, ne songeant qu'à vous [plaindre,
Vous nourrissez un feu qu'il vous faudrait éteindre.
755 Ne vaudrait-il pas mieux, digne sang de Minos,
Dans de plus nobles soins chercher votre repos,
Contre un ingrat qui plaît recourir à la fuite,
Régner, et de l'État embrasser la conduite ?

PHÈDRE

Moi régner ! Moi, ranger un État sous ma loi !
760 Quand ma faible raison ne règne plus sur moi,
Lorsque j'ai de mes sens abandonné l'empire,
Quand sous un joug honteux à peine je respire,
Quand je me meurs.

ŒNONE

Fuyez.

PHÈDRE

Je ne le puis quitter.

ŒNONE

Vous l'osâtes bannir, vous n'osez l'éviter.

PHÈDRE

765 Il n'est plus temps. Il sait mes ardeurs insensées.
De l'austère pudeur les bornes sont passées.
J'ai déclaré ma honte aux yeux de mon vainqueur,
Et l'espoir malgré moi s'est glissé dans mon cœur.
Toi-même rappelant ma force défaillante,
770 Et mon âme déjà sur mes lèvres errante [1],

Par tes conseils flatteurs tu m'as su ranimer.
Tu m'as fait entrevoir que je pouvais l'aimer.

ŒNONE

Hélas ! de vos malheurs innocente ou coupable,
De quoi pour vous sauver n'étais-je point capable ?
775 Mais si jamais l'offense irrita vos esprits,
Pouvez-vous d'un superbe oublier les mépris ?
Avec quels yeux cruels sa rigueur obstinée
Vous laissait à ses pieds peu s'en faut prosternée !
Que son farouche orgueil le rendait odieux !
780 Que Phèdre en ce moment n'avait-elle mes yeux !

PHÈDRE

Œnone, il peut quitter cet orgueil qui te blesse.
Nourri dans les forêts, il en a la rudesse.
Hippolyte endurci par de sauvages lois
Entend parler d'amour pour la première fois.
785 Peut-être sa surprise a causé son silence,
Et nos plaintes peut-être ont trop de violence.

ŒNONE

Songez qu'une barbare en son sein l'a formé.

PHÈDRE

Quoique Scythe et barbare, elle a pourtant aimé.

ŒNONE

Il a pour tout le sexe [1] une haine fatale.

PHÈDRE

790 Je ne me verrai point préférer de rivale.
Enfin, tous ces conseils ne sont plus de saison.
Sers ma fureur, Œnone, et non point ma raison.

Il oppose à l'amour un cœur inaccessible.
Cherchons pour l'attaquer quelque endroit plus sen-
[sible.
795 Les charmes d'un empire ont paru le toucher.
Athènes l'attirait, il n'a pu s'en cacher.
Déjà de ses vaisseaux la pointe était tournée,
Et la voile flottait aux vents abandonnée.
Va trouver de ma part ce jeune ambitieux,
800 Œnone. Fais briller la couronne à ses yeux.
Qu'il mette sur son front le sacré diadème.
Je ne veux que l'honneur de l'attacher moi-même.
Cédons-lui ce pouvoir que je ne puis garder.
Il instruira mon fils dans l'art de commander.
805 Peut-être il voudra bien lui tenir lieu de père.
Je mets sous son pouvoir et le fils et la mère.
Pour le fléchir enfin tente tous les moyens.
Tes discours trouveront plus d'accès que les miens.
Presse, pleure, gémis, plains-lui [1] Phèdre mourante.
810 Ne rougis point de prendre une voix suppliante.
Je t'avouerai de tout [2], je n'espère qu'en toi.
Va, j'attends ton retour pour disposer de moi.

SCÈNE II

PHÈDRE *seule.*

Ô toi ! qui vois la honte où je suis descendue,
Implacable Vénus, suis-je assez confondue ?
815 Tu ne saurais plus loin pousser ta cruauté.
Ton triomphe est parfait, tous tes traits ont porté.
Cruelle, si tu veux une gloire nouvelle,
Attaque un ennemi qui te soit plus rebelle.
Hippolyte te fuit, et bravant ton courroux,

820 Jamais à tes autels n'a fléchi les genoux.
Ton nom semble offenser ses superbes oreilles.
Déesse, venge-toi, nos causes sont pareilles.
Qu'il aime. Mais déjà tu reviens sur tes pas,
Œnone ? On me déteste, on ne t'écoute pas.

SCÈNE III

PHÈDRE, ŒNONE

ŒNONE

825 Il faut d'un vain amour étouffer la pensée,
Madame. Rappelez votre vertu passée.
Le roi, qu'on a cru mort, va paraître à vos yeux [1],
Thésée est arrivé. Thésée est en ces lieux.
Le peuple, pour le voir, court et se précipite.
830 Je sortais par votre ordre, et cherchais Hippolyte,
Lorsque jusques au ciel mille cris élancés...

PHÈDRE

Mon époux est vivant, Œnone, c'est assez.
J'ai fait l'indigne aveu d'un amour qui l'outrage.
Il vit. Je ne veux pas en savoir davantage.

ŒNONE

835 Quoi ?

PHÈDRE

Je te l'ai prédit, mais tu n'as pas voulu.
Sur mes justes remords tes pleurs ont prévalu.
Je mourais ce matin digne d'être pleurée.
J'ai suivi tes conseils, je meurs déshonorée.

ŒNONE

Vous mourez ?

PHÈDRE

Juste ciel ! Qu'ai-je fait aujourd'hui ?
840 Mon époux va paraître, et son fils avec lui.
Je verrai le témoin de ma flamme adultère
Observer de quel front j'ose aborder son père,
Le cœur gros de soupirs, qu'il n'a point écoutés,
L'œil humide de pleurs, par l'ingrat rebutés.
845 Penses-tu que sensible à l'honneur de Thésée,
Il lui cache l'ardeur dont je suis embrasée ?
Laissera-t-il trahir et son père et son roi ?
Pourra-t-il contenir l'horreur qu'il a pour moi ?
Il se tairait en vain. Je sais mes perfidies,
850 Œnone, et ne suis point de ces femmes hardies,
Qui goûtant dans le crime une tranquille paix
Ont su se faire un front qui ne rougit jamais.
Je connais mes fureurs, je les rappelle toutes.
Il me semble déjà que ces murs, que ces voûtes,
855 Vont prendre la parole, et prêts à m'accuser
Attendent mon époux, pour le désabuser.
Mourons. De tant d'horreurs qu'un trépas me [délivre.
Est-ce un malheur si grand que de cesser de vivre ?
La mort aux malheureux ne cause point d'effroi.
860 Je ne crains que le nom que je laisse après moi.
Pour mes tristes enfants [1] quel affreux héritage !
Le sang de Jupiter [2] doit enfler leur courage [3].
Mais quelque juste orgueil qu'inspire un sang si beau,
Le crime d'une mère est un pesant fardeau.
865 Je tremble qu'un discours, hélas ! trop véritable,
Un jour ne leur reproche une mère coupable.

Je tremble qu'opprimés de ce poids odieux,
L'un ni l'autre jamais n'ose lever les yeux.

ŒNONE

Il n'en faut point douter, je les plains l'un et l'autre.
870 Jamais crainte ne fut plus juste que la vôtre.
Mais à de tels affronts, pourquoi les exposer ?
Pourquoi contre vous-même allez-vous déposer ?
C'en est fait. On dira que Phèdre trop coupable,
De son époux trahi fuit l'aspect redoutable.
875 Hippolyte est heureux qu'aux dépens de vos jours,
Vous-même en expirant appuyez ses discours.
À votre accusateur, que pourrai-je répondre ?
Je serai devant lui trop facile à confondre.
De son triomphe affreux je le verrai jouir,
880 Et conter votre honte à qui voudra l'ouïr.
Ah ! que plutôt du ciel la flamme me dévore !
Mais ne me trompez point, vous est-il cher encore ?
De quel œil voyez-vous ce prince audacieux ?

PHÈDRE

Je le vois comme un monstre effroyable à mes yeux.

ŒNONE

885 Pourquoi donc lui céder une victoire entière ?
Vous le craignez... Osez l'accuser la première
Du crime dont il peut vous charger aujourd'hui.
Qui vous démentira ? Tout parle contre lui.
Son épée en vos mains heureusement laissée,
890 Votre trouble présent, votre douleur passée,
Son père par vos cris dès longtemps prévenu,
Et déjà son exil par vous-même obtenu.

PHÈDRE

Moi, que j'ose opprimer et noircir l'innocence !

ŒNONE

Mon zèle n'a besoin que de votre silence.
895 Tremblante comme vous, j'en sens quelques [remords.
Vous me verriez plus prompte affronter mille morts.
Mais puisque je vous perds sans ce triste remède,
Votre vie est pour moi d'un prix à qui tout cède.
Je parlerai. Thésée aigri par mes avis,
900 Bornera sa vengeance à l'exil de son fils.
Un père en punissant, Madame, est toujours père.
Un supplice léger suffit à sa colère.
Mais le sang innocent dût-il être versé,
Que ne demande point votre honneur menacé ?
905 C'est un trésor trop cher pour oser le commettre [1].
Quelque loi qu'il vous dicte, il faut vous y soumettre,
Madame, et pour sauver notre [2] honneur combattu,
Il faut immoler tout, et même la vertu.
On vient, je vois Thésée.

PHÈDRE

Ah ! je vois Hippolyte.
910 Dans ses yeux insolents je vois ma perte écrite.
Fais ce que tu voudras, je m'abandonne à toi.
Dans le trouble où je suis, je ne puis rien pour moi.

SCÈNE IV

THÉSÉE, HIPPOLYTE, PHÈDRE, ŒNONE, THÉRAMÈNE

THÉSÉE

La fortune à mes vœux cesse d'être opposée,
Madame, et dans vos bras met...

PHÈDRE

Arrêtez, Thésée,
915 Et ne profanez point des transports si charmants.
Je ne mérite plus ces doux empressements.
Vous êtes offensé. La fortune jalouse
N'a pas en votre absence épargné votre épouse,
Indigne de vous plaire, et de vous approcher,
920 Je ne dois désormais songer qu'à me cacher.

SCÈNE V

THÉSÉE, HIPPOLYTE, THÉRAMÈNE

THÉSÉE

Quel est l'étrange accueil qu'on fait à votre père,
Mon fils ?

HIPPOLYTE

Phèdre peut seule expliquer ce mystère.
Mais si mes vœux ardents vous peuvent émouvoir,
Permettez-moi, Seigneur, de ne la plus revoir.
925 Souffrez que pour jamais le tremblant Hippolyte
Disparaisse des lieux que votre épouse habite.

THÉSÉE

Vous, mon fils, me quitter ?

HIPPOLYTE

Je ne la cherchais pas,
C'est vous qui sur ces bords conduisîtes ses pas.
Vous daignâtes, Seigneur, aux rives de Trézène
930 Confier en partant Aricie, et la reine.
Je fus même chargé du soin de les garder.
Mais quels soins désormais peuvent me retarder ?
Assez dans les forêts mon oisive jeunesse,
Sur de vils ennemis a montré son adresse.
935 Ne pourrai-je en fuyant un indigne repos,
D'un sang plus glorieux teindre mes javelots ?
Vous n'aviez pas encore atteint l'âge où je touche,
Déjà plus d'un tyran, plus d'un monstre farouche
Avait de votre bras senti la pesanteur.
940 Déjà de l'insolence heureux persécuteur,
Vous aviez des deux mers assuré les rivages,
Le libre voyageur ne craignait plus d'outrages.
Hercule respirant sur le bruit de vos coups [1],
Déjà de son travail se reposait sur vous.
945 Et moi, fils inconnu d'un si glorieux père,
Je suis même encor loin des traces de ma mère.
Souffrez que mon courage ose enfin s'occuper.
Souffrez, si quelque monstre a pu vous échapper,
Que j'apporte à vos pieds sa dépouille honorable ;
950 Ou que d'un beau trépas la mémoire durable,
Éternisant des jours si noblement finis,
Prouve à tout l'avenir que j'étais votre fils.

THÉSÉE

Que vois-je ? Quelle horreur dans ces lieux répandue
Fait fuir devant mes yeux ma famille éperdue ?
955 Si je reviens si craint, et si peu désiré,
Ô ciel ! de ma prison pourquoi m'as-tu tiré ?
Je n'avais qu'un ami. Son imprudente flamme
Du tyran de l'Épire allait ravir la femme.
Je servais à regret ses desseins amoureux.
960 Mais le sort irrité nous aveuglait tous deux.
Le tyran m'a surpris sans défense et sans armes.
J'ai vu Pirithoüs, triste objet de mes larmes,
Livré par ce barbare à des monstres cruels,
Qu'il nourrissait du sang des malheureux mortels [1].
965 Moi-même il m'enferma dans des cavernes sombres,
Lieux profonds, et voisins de l'empire des ombres.
Les dieux après six mois enfin m'ont regardé.
J'ai su tromper les yeux de qui j'étais gardé [2].
D'un perfide ennemi j'ai purgé la nature.
970 À ses monstres lui-même a servi de pâture.
Et lorsque avec transport je pense m'approcher
De tout ce que les dieux m'ont laissé de plus cher ;
Que dis-je ? Quand mon âme à soi-même rendue
Vient se rassasier d'une si chère vue ;
975 Je n'ai pour tout accueil que des frémissements.
Tout fuit, tout se refuse à mes embrassements.
Et moi-même éprouvant la terreur que j'inspire,
Je voudrais être encor dans les prisons d'Épire.
Parlez. Phèdre se plaint que je suis outragé.
980 Qui m'a trahi ? Pourquoi ne suis-je pas vengé ?
La Grèce, à qui mon bras fut tant de fois utile,
A-t-elle au criminel accordé quelque asile ?
Vous ne répondez point. Mon fils, mon propre fils
Est-il d'intelligence avec mes ennemis ?

985 Entrons. C'est trop garder un doute qui m'accable.
Connaissons à la fois le crime et le coupable.
Que Phèdre explique enfin le trouble où je la vois.

SCÈNE VI

HIPPOLYTE, THÉRAMÈNE

HIPPOLYTE

Où tendait ce discours qui m'a glacé d'effroi ?
Phèdre toujours en proie à sa fureur extrême,
990 Veut-elle s'accuser et se perdre elle-même ?
Dieux ! que dira le roi ? Quel funeste poison
L'amour a répandu sur toute sa maison !
Moi-même plein d'un feu que sa haine réprouve,
Quel il m'a vu jadis et quel il me retrouve !
995 De noirs pressentiments viennent m'épouvanter.
Mais l'innocence enfin n'a rien à redouter.
Allons, cherchons ailleurs par quelle heureuse [adresse
Je pourrai de mon père émouvoir la tendresse,
Et lui dire un amour qu'il peut vouloir troubler [1],
1000 Mais que tout son pouvoir ne saurait ébranler.

Fin du troisième acte.

ACTE IV

SCÈNE PREMIÈRE

THÉSÉE, ŒNONE

THÉSÉE

Ah ! Qu'est-ce que j'entends ? Un traître, un témé-
[raire
Préparait cet outrage à l'honneur de son père ?
Avec quelle rigueur, Destin, tu me poursuis !
Je ne sais où je vais [1], je ne sais où je suis.
1005 Ô tendresse ! Ô bonté trop mal récompensée !
Projet audacieux ! détestable pensée !
Pour parvenir au but de ses noires amours,
L'insolent de la force empruntait le secours.
J'ai reconnu le fer, instrument de sa rage,
1010 Ce fer dont je l'armai pour un plus noble usage.
Tous les liens du sang n'ont pu le retenir !
Et Phèdre différait à le faire punir !
Le silence de Phèdre épargnait le coupable !

ŒNONE

Phèdre épargnait plutôt un père déplorable [2].
1015 Honteuse du dessein d'un amant furieux,

Et du feu criminel qu'il a pris dans ses yeux,
Phèdre mourait, Seigneur, et sa main meurtrière
Éteignait de ses yeux l'innocente lumière.
J'ai vu lever le bras, j'ai couru la sauver.
1020 Moi seule à votre amour j'ai su la conserver ;
Et plaignant à la fois son trouble et vos alarmes,
J'ai servi malgré moi d'interprète à ses larmes.

THÉSÉE

Le perfide ! Il n'a pu s'empêcher de pâlir.
De crainte en m'abordant je l'ai vu tressaillir.
1025 Je me suis étonné de son peu d'allégresse.
Ses froids embrassements ont glacé ma tendresse.
Mais ce coupable amour dont il est dévoré,
Dans Athènes déjà s'était-il déclaré ?

ŒNONE

Seigneur, souvenez-vous des plaintes de la reine.
1030 Un amour criminel causa toute sa haine.

THÉSÉE

Et ce feu dans Trézène a donc recommencé ?

ŒNONE

Je vous ai dit, Seigneur, tout ce qui s'est passé.
C'est trop laisser la reine à sa douleur mortelle.
Souffrez que je vous quitte et me range auprès d'elle.

SCÈNE II [1]

THÉSÉE, HIPPOLYTE

THÉSÉE

1035 Ah ! le voici. Grands dieux ! à ce noble maintien [2]
Quel œil ne serait pas trompé comme le mien ?
Faut-il que sur le front d'un profane adultère
Brille de la vertu le sacré caractère [3] ?
Et ne devrait-on pas à des signes certains
1040 Reconnaître le cœur des perfides humains ?

HIPPOLYTE

Puis-je vous demander quel funeste nuage,
Seigneur, a pu troubler votre auguste visage ?
N'osez-vous confier ce secret à ma foi ?

THÉSÉE

Perfide, oses-tu bien te montrer devant moi ?
1045 Monstre, qu'a trop longtemps épargné le tonnerre,
Reste impur des brigands dont j'ai purgé la terre.
Après que le transport d'un amour plein d'horreur
Jusqu'au lit de ton père a porté sa fureur [4],
Tu m'oses présenter une tête ennemie,
1050 Tu parais dans des lieux pleins de ton infamie,
Et ne vas pas chercher sous un ciel inconnu
Des pays où mon nom ne soit point parvenu.
Fuis, traître. Ne viens point braver ici ma haine,
Et tenter un courroux que je retiens à peine.
1055 C'est bien assez pour moi de l'opprobre éternel
D'avoir pu mettre au jour un fils si criminel,
Sans que ta mort encor honteuse à ma mémoire [5],

De mes nobles travaux vienne souiller la gloire.
Fuis. Et si tu ne veux qu'un châtiment soudain
1060 T'ajoute aux scélérats qu'a punis cette main,
Prends garde que jamais l'astre qui nous éclaire
Ne te voie en ces lieux mettre un pied téméraire.
Fuis, dis-je, et sans retour précipitant tes pas,
De ton horrible aspect purge tous mes États.
1065 Et toi, Neptune, et toi, si jadis mon courage
D'infâmes assassins nettoya ton rivage,
Souviens-toi que pour prix de mes efforts heureux,
Tu promis d'exaucer le premier de mes vœux [1].
Dans les longues rigueurs d'une prison cruelle
1070 Je n'ai point imploré ta puissance immortelle.
Avare du secours que j'attends de tes soins [2]
Mes vœux t'ont réservé pour de plus grands besoins.
Je t'implore aujourd'hui. Venge un malheureux
[père.
J'abandonne ce traître à toute ta colère.
1075 Étouffe dans son sang ses désirs effrontés.
Thésée à tes fureurs connaîtra tes bontés.

HIPPOLYTE

D'un amour criminel Phèdre accuse Hippolyte ?
Un tel excès d'horreur rend mon âme interdite ;
Tant de coups imprévus m'accablent à la fois,
1080 Qu'ils m'ôtent la parole, et m'étouffent la voix.

THÉSÉE

Traître, tu prétendais qu'en un lâche silence,
Phèdre ensevelirait ta brutale insolence.
Il fallait en fuyant ne pas abandonner
Le fer, qui dans ses mains aide à te condamner.
1085 Ou plutôt il fallait comblant ta perfidie
Lui ravir tout d'un coup la parole et la vie.

HIPPOLYTE

D'un mensonge si noir justement irrité,
Je devrais faire ici parler la vérité,
Seigneur. Mais je supprime un secret qui vous tou-
[che.
1090 Approuvez le respect qui me ferme la bouche ;
Et sans vouloir vous-même augmenter vos ennuis,
Examinez ma vie, et songez qui je suis.
Quelques crimes toujours précèdent les grands cri-
[mes.
Quiconque a pu franchir les bornes légitimes,
1095 Peut violer enfin les droits les plus sacrés.
Ainsi que la vertu, le crime a ses degrés.
Et jamais on n'a vu la timide innocence
Passer subitement à l'extrême licence.
Un jour seul ne fait point d'un mortel vertueux
1100 Un perfide assassin, un lâche incestueux.
Élevé dans le sein d'une chaste héroïne,
Je n'ai point de son sang démenti l'origine.
Pitthée estimé sage entre tous les humains,
Daigna m'instruire encore au sortir de ses mains.
1105 Je ne veux point me peindre avec trop d'avantage ;
Mais si quelque vertu m'est tombée en partage,
Seigneur, je crois surtout avoir fait éclater [1]
La haine des forfaits qu'on ose m'imputer.
C'est par là qu'Hippolyte est connu dans la Grèce.
1110 J'ai poussé la vertu jusques à la rudesse.
On sait de mes chagrins l'inflexible rigueur.
Le jour n'est pas plus pur que le fond de mon cœur,
Et l'on veut qu'Hippolyte épris d'un feu profane...

THÉSÉE

Oui, c'est ce même orgueil, lâche, qui te condamne.

1115 Je vois de tes froideurs le principe odieux [1].
Phèdre seule charmait tes impudiques yeux.
Et pour tout autre objet ton âme indifférente
Dédaignait de brûler d'une flamme innocente.

HIPPOLYTE

Non, mon père, ce cœur (c'est trop vous le celer)
1120 N'a point d'un chaste amour dédaigné de brûler.
Je confesse à vos pieds ma véritable offense.
J'aime, j'aime, il est vrai, malgré votre défense.
Aricie à ses lois tient mes vœux asservis.
La fille de Pallante a vaincu votre fils.
1125 Je l'adore, et mon âme à vos ordres rebelle,
Ne peut ni soupirer, ni brûler que pour elle.

THÉSÉE

Tu l'aimes ? Ciel ! Mais non, l'artifice est grossier.
Tu te feins criminel pour te justifier.

HIPPOLYTE

Seigneur, depuis six mois je l'évite, et je l'aime.
1130 Je venais en tremblant vous le dire à vous-même.
Hé quoi ? De votre erreur rien ne vous peut tirer ?
Par quel affreux serment faut-il vous rassurer ?
Que la terre, le ciel, que toute la nature...

THÉSÉE

Toujours les scélérats ont recours au parjure.
1135 Cesse, cesse, et m'épargne un importun discours,
Si ta fausse vertu n'a point d'autre secours.

HIPPOLYTE

Elle vous paraît fausse, et pleine d'artifice ;
Phèdre au fond de son cœur me rend plus de justice.

THÉSÉE

Ah ! que ton impudence excite mon courroux !

HIPPOLYTE

1140 Quel temps à mon exil, quel lieu prescrivez-vous ?

THÉSÉE

Fusses-tu par delà les colonnes d'Alcide [1],
Je me croirais encor trop voisin d'un perfide.

HIPPOLYTE

Chargé du crime affreux dont vous me soupçonnez,
Quels amis me plaindront quand vous m'abandon-
[nez ?

THÉSÉE

1145 Va chercher des amis, dont l'estime funeste
Honore l'adultère, applaudisse à l'inceste ;
Des traîtres, des ingrats sans honneur et sans loi,
Dignes de protéger un méchant tel que toi.

HIPPOLYTE

Vous me parlez toujours d'inceste et d'adultère !
1150 Je me tais. Cependant Phèdre sort d'une mère,
Phèdre est d'un sang, Seigneur, vous le savez trop
[bien,
De toutes ces horreurs plus rempli que le mien.

THÉSÉE

Quoi ! ta rage à mes yeux perd toute retenue ?
Pour la dernière fois, ôte-toi de ma vue.
1155 Sors, traître. N'attends pas qu'un père furieux
Te fasse avec opprobre arracher de ces lieux.

SCÈNE III

THÉSÉE, *seul.*

Misérable, tu cours à ta perte infaillible.
Neptune par le fleuve aux dieux mêmes terrible [1],
M'a donné sa parole, et va l'exécuter.
1160 Un dieu vengeur te suit, tu ne peux l'éviter.
Je t'aimais. Et je sens que malgré ton offense,
Mes entrailles pour toi se troublent par avance.
Mais à te condamner tu m'as trop engagé.
Jamais père en effet fut-il plus outragé ?
1165 Justes dieux, qui voyez la douleur qui m'accable,
Ai-je pu mettre au jour un enfant si coupable ?

SCÈNE IV

PHÈDRE, THÉSÉE

PHÈDRE

Seigneur, je viens à vous pleine d'un juste effroi.
Votre voix redoutable a passé jusqu'à moi.
Je crains qu'un prompt effet n'ait suivi la menace.
1170 S'il en est temps encore, épargnez votre race.
Respectez votre sang, j'ose vous en prier.
Sauvez-moi de l'horreur de l'entendre crier.
Ne me préparez point la douleur éternelle
De l'avoir fait répandre à la main paternelle.

THÉSÉE

1175 Non, Madame, en mon sang ma main n'a point
[trempé.

Mais l'ingrat toutefois ne m'est point échappé.
Une immortelle main de sa perte est chargée.
Neptune me la doit, et vous serez vengée.

PHÈDRE

Neptune vous la doit ! Quoi ! vos vœux irrités...

THÉSÉE

1180 Quoi ! craignez-vous déjà qu'ils ne soient écoutés ?
Joignez-vous bien plutôt à mes vœux légitimes.
Dans toute leur noirceur retracez-moi ses crimes.
Échauffez mes transports trop lents, trop retenus.
Tous ses crimes encor ne vous sont pas connus.
1185 Sa fureur contre vous se répand en injures.
Votre bouche, dit-il, est pleine d'impostures.
Il soutient qu'Aricie a son cœur, a sa foi,
Qu'il l'aime.

PHÈDRE

Quoi, Seigneur !

THÉSÉE

Il l'a dit devant moi.
Mais je sais rejeter un frivole artifice.
1190 Espérons de Neptune une prompte justice.
Je vais moi-même encore au pied de ses autels,
Le presser d'accomplir ses serments immortels.

SCÈNE V

PHÈDRE, *seule.*

Il sort. Quelle nouvelle a frappé mon oreille ?
Quel feu mal étouffé dans mon cœur se réveille ?
1195 Quel coup de foudre, ô ciel ! et quel funeste avis !
Je volais tout entière au secours de son fils.
Et m'arrachant des bras d'Œnone épouvantée,
Je cédais au remords dont j'étais tourmentée.
Qui sait même où m'allait porter ce repentir ?
1200 Peut-être à m'accuser j'aurais pu consentir,
Peut-être, si la voix ne m'eût été coupée,
L'affreuse vérité me serait échappée.
Hippolyte est sensible, et ne sent rien pour moi !
Aricie a son cœur ! Aricie a sa foi !
1205 Ah dieux ! Lorsqu'à mes vœux l'ingrat inexorable
S'armait d'un œil si fier, d'un front si redoutable,
Je pensais qu'à l'amour son cœur toujours fermé,
Fût contre tout mon sexe également armé.
Une autre cependant a fléchi son audace.
1210 Devant ses yeux cruels une autre a trouvé grâce.
Peut-être a-t-il un cœur facile à s'attendrir.
Je suis le seul objet qu'il ne saurait souffrir.
Et je me chargerais du soin de le défendre !

SCÈNE VI

PHÈDRE, ŒNONE

PHÈDRE

Chère Œnone, sais-tu ce que je viens d'apprendre ?

ŒNONE

1215 Non. Mais je viens tremblante, à ne vous point men-
[tir.
J'ai pâli du dessein qui vous a fait sortir.
J'ai craint une fureur à vous-même fatale.

PHÈDRE

Œnone, qui l'eût cru ? J'avais une rivale.

ŒNONE

Comment ?

PHÈDRE

Hippolyte aime, et je n'en puis douter.
1220 Ce farouche ennemi qu'on ne pouvait dompter,
Qu'offensait le respect, qu'importunait la plainte,
Ce tigre, que jamais je n'abordai sans crainte,
Soumis, apprivoisé reconnaît un vainqueur.
Aricie a trouvé le chemin de son cœur.

ŒNONE

1225 Aricie ?

PHÈDRE

Ah, douleur non encore éprouvée !
À quel nouveau tourment je me suis réservée !

Tout ce que j'ai souffert, mes craintes, mes trans-
[ports,
La fureur de mes feux, l'horreur de mes remords,
Et d'un refus cruel l'insupportable injure
1230 N'était qu'un faible essai du tourment que j'endure.
Ils s'aiment ! Par quel charme ont-ils trompé mes
[yeux ?
Comment se sont-ils vus ? Depuis quand ? Dans quels
[lieux ?
Tu le savais. Pourquoi me laissais-tu séduire [1] ?
De leur furtive ardeur ne pouvais-tu m'instruire ?
1235 Les a-t-on vus [2] souvent se parler, se chercher ?
Dans le fond des forêts allaient-ils se cacher ?
Hélas ! Ils se voyaient avec pleine licence.
Le ciel de leurs soupirs approuvait l'innocence.
Ils suivaient sans remords leur penchant amoureux.
1240 Tous les jours se levaient clairs et sereins pour eux.
Et moi, triste rebut de la nature entière,
Je me cachais au jour, je fuyais la lumière.
La mort est le seul dieu que j'osais implorer.
J'attendais le moment où j'allais expirer,
1245 Me nourrissant de fiel, de larmes abreuvée,
Encor dans mon malheur de trop près observée,
Je n'osais dans mes pleurs me noyer à loisir,
Je goûtais en tremblant ce funeste plaisir.
Et sous un front serein déguisant mes alarmes,
1250 Il fallait bien souvent me priver de mes larmes.

ŒNONE

Quel fruit recevront-ils de leurs vaines amours ?
Ils ne se verront plus.

PHÈDRE

Ils s'aimeront toujours.

Au moment que je parle, ah, mortelle pensée !
Ils bravent la fureur d'une amante insensée.
1255 Malgré ce même exil qui va les écarter [1],
Ils font mille serments de ne se point quitter.
Non, je ne puis souffrir un bonheur qui m'outrage,
Œnone. Prends pitié de ma jalouse rage.
Il faut perdre Aricie. Il faut de mon époux
1260 Contre un sang odieux réveiller le courroux.
Qu'il ne se borne pas à des peines légères.
Le crime de la sœur passe celui des frères.
Dans mes jaloux transports je le veux implorer.
Que fais-je ? Où ma raison se va-t-elle égarer ?
1265 Moi jalouse ! Et Thésée est celui que j'implore !
Mon époux est vivant, et moi je brûle encore !
Pour qui ? Quel est le cœur où prétendent mes [vœux ?
Chaque mot sur mon front fait dresser mes cheveux.
Mes crimes désormais ont comblé la mesure.
1270 Je respire à la fois l'inceste et l'imposture [2].
Mes homicides mains promptes à me venger,
Dans le sang innocent brûlent de se plonger.
Misérable ! Et je vis ? Et je soutiens la vue
De ce sacré soleil dont je suis descendue ?
1275 J'ai pour aïeul le père et le maître des dieux [3].
Le ciel, tout l'univers est plein de mes aïeux.
Où me cacher ? Fuyons dans la nuit infernale.
Mais que dis-je ? Mon père y tient l'urne fatale.
Le sort, dit-on, l'a mise en ses sévères mains.
1280 Minos juge aux enfers tous les pâles humains.
Ah ! combien frémira son ombre épouvantée,
Lorsqu'il verra sa fille à ses yeux présentée,
Contrainte d'avouer tant de forfaits divers,
Et des crimes peut-être inconnus aux enfers ?
1285 Que diras-tu, mon père, à ce spectacle horrible ?

Je crois voir de ta main tomber l'urne terrible,
Je crois te voir cherchant un supplice nouveau,
Toi-même de ton sang devenir le bourreau.
Pardonne. Un dieu cruel a perdu ta famille.
1290 Reconnais sa vengeance aux fureurs de ta fille.
Hélas ! Du crime affreux dont la honte me suit,
Jamais mon triste cœur n'a recueilli le fruit.
Jusqu'au dernier soupir de malheurs poursuivie,
Je rends dans les tourments une pénible vie.

ŒNONE

1295 Hé ! repoussez, Madame, une injuste terreur.
Regardez d'un autre œil une excusable erreur.
Vous aimez. On ne peut vaincre sa destinée.
Par un charme fatal vous fûtes entraînée.
Est-ce donc un prodige inouï parmi nous ?
1300 L'amour n'a-t-il encor triomphé que de vous ?
La faiblesse aux humains n'est que trop naturelle.
Mortelle, subissez le sort d'une mortelle.
Vous vous plaignez d'un joug imposé dès longtemps.
Les dieux même, les dieux de l'Olympe habitants,
1305 Qui d'un bruit si terrible [1] épouvantent les crimes,
Ont brûlé quelquefois de feux illégitimes.

PHÈDRE

Qu'entends-je ? Quels conseils ose-t-on me donner ?
Ainsi donc jusqu'au bout tu veux m'empoisonner,
Malheureuse ? Voilà comme tu m'as perdue.
1310 Au jour que je fuyais, c'est toi qui m'as rendue.
Tes prières m'ont fait oublier mon devoir.
J'évitais Hippolyte, et tu me l'as fait voir.
De quoi te chargeais-tu ? Pourquoi ta bouche impie
A-t-elle en l'accusant osé noircir sa vie ?
1315 Il en mourra peut-être, et d'un père insensé

Le sacrilège vœu peut-être est exaucé.
Je ne t'écoute plus. Va-t'en, monstre exécrable.
Va, laisse-moi le soin de mon sort déplorable.
Puisse le juste ciel dignement te payer ;
1320 Et puisse ton supplice à jamais effrayer
Tous ceux qui, comme toi, par de lâches adresses,
Des princes malheureux nourrissent les faiblesses,
Les poussent au penchant où leur cœur est enclin,
Et leur osent du crime aplanir le chemin ;
1325 Détestables flatteurs, présent le plus funeste
Que puisse faire aux rois la colère céleste.

ŒNONE *seule.*

Ah ! dieux [1] ! Pour la servir, j'ai tout fait, tout quitté,
Et j'en reçois ce prix ? Je l'ai bien mérité.

Fin du quatrième acte.

ACTE V

SCÈNE PREMIÈRE

HIPPOLYTE, ARICIE

ARICIE

Quoi ! vous pouvez vous taire en ce péril extrême ?
1330 Vous laissez dans l'erreur un père qui vous aime ?
Cruel, si de mes pleurs méprisant le pouvoir,
Vous consentez sans peine à ne me plus revoir,
Partez, séparez-vous de la triste Aricie.
Mais du moins en partant assurez votre vie.
1335 Défendez votre honneur d'un reproche honteux,
Et forcez votre père à révoquer ses vœux.
Il en est temps encor. Pourquoi ? Par quel caprice
Laissez-vous le champ libre à votre accusatrice ?
Éclaircissez Thésée.

HIPPOLYTE

Hé ! que n'ai-je point dit ?
1340 Ai-je dû [1] mettre au jour l'opprobre de son lit ?
Devais-je, en lui faisant un récit trop sincère,
D'une indigne rougeur couvrir le front d'un père ?

Vous seule avez percé ce mystère odieux.
Mon cœur pour s'épancher n'a que vous et les dieux.
1345 Je n'ai pu vous cacher, jugez si je vous aime,
Tout ce que je voulais me cacher à moi-même.
Mais songez sous quel sceau je vous l'ai révélé.
Oubliez, s'il se peut, que je vous ai parlé,
Madame. Et que jamais une bouche si pure
1350 Ne s'ouvre pour conter cette horrible aventure.
Sur l'équité des dieux osons nous confier.
Ils ont trop d'intérêt à me justifier ;
Et Phèdre tôt ou tard de son crime punie,
N'en saurait éviter la juste ignominie.
1355 C'est l'unique respect que j'exige de vous.
Je permets tout le reste à mon libre courroux.
Sortez de l'esclavage où vous êtes réduite.
Osez me suivre. Osez accompagner ma fuite.
Arrachez-vous d'un lieu funeste et profané,
1360 Où la vertu respire un air empoisonné.
Profitez pour cacher votre prompte retraite,
De la confusion que ma disgrâce y jette.
Je vous puis de la fuite assurer les moyens,
Vous n'avez jusqu'ici de gardes que les miens.
1365 De puissants défenseurs prendront notre querelle [1].
Argos nous tend les bras, et Sparte nous appelle.
À nos amis communs portons nos justes cris.
Ne souffrons pas que Phèdre assemblant nos débris [2]
Du trône paternel [3] nous chasse l'un et l'autre,
1370 Et promette à son fils ma dépouille et la vôtre.
L'occasion est belle, il la faut embrasser.
Quelle peur vous retient ? Vous semblez balancer ?
Votre seul intérêt m'inspire cette audace.
Quand je suis tout de feu, d'où vous vient cette glace ?
1375 Sur les pas d'un banni craignez-vous de marcher ?

ARICIE

Hélas ! qu'un tel exil, Seigneur, me serait cher !
Dans quels ravissements, à votre sort liée
Du reste des mortels je vivrais oubliée !
Mais n'étant point unis par un lien si doux,
1380 Me puis-je avec honneur dérober avec vous ?
Je sais que sans blesser l'honneur le plus sévère
Je me puis affranchir des mains de votre père.
Ce n'est point m'arracher du sein de mes parents,
Et la fuite est permise à qui fuit ses tyrans ;
1385 Mais vous m'aimez, Seigneur ; et ma gloire alarmée...

HIPPOLYTE

Non, non ; j'ai trop de soin de votre renommée.
Un plus noble dessein m'amène devant vous.
Fuyez vos ennemis, et suivez votre époux.
Libres dans nos malheurs, puisque le ciel l'ordonne,
1390 Le don de notre foi ne dépend de personne.
L'hymen n'est point toujours entouré de flambeaux.
Aux portes de Trézène, et parmi ces tombeaux,
Des princes de ma race antiques sépultures,
Est un temple sacré formidable aux parjures [1].
1395 C'est là que les mortels n'osent jurer en vain.
Le perfide y reçoit un châtiment soudain.
Et craignant d'y trouver la mort inévitable,
Le mensonge n'a point de frein plus redoutable.
Là, si vous m'en croyez, d'un amour éternel
1400 Nous irons confirmer le serment solennel.
Nous prendrons à témoin le dieu qu'on y révère.
Nous le prierons tous deux de nous servir de père.
Des dieux les plus sacrés j'attesterai le nom.
Et la chaste Diane, et l'auguste Junon,
1405 Et tous les dieux enfin témoins de mes tendresses

Garantiront la foi de mes saintes promesses.

ARICIE

Le roi vient. Fuyez, Prince, et partez promptement
Pour cacher mon départ je demeure un moment.
Allez, et laissez-moi quelque fidèle guide,
1410 Qui conduise vers vous ma démarche timide [1].

SCÈNE II

THÉSÉE, ARICIE, ISMÈNE

THÉSÉE

Dieux, éclairez mon trouble, et daignez à mes yeux
Montrer la vérité, que je cherche en ces lieux.

ARICIE

Songe à tout, chère Ismène, et sois prête à la fuite.

SCÈNE III

THÉSÉE, ARICIE

THÉSÉE

Vous changez de couleur, et semblez interdite,
1415 Madame ! Que faisait Hippolyte en ce lieu ?

ARICIE

Seigneur, il me disait un éternel adieu.

THÉSÉE

Vos yeux ont su dompter ce rebelle courage ;
Et ses premiers soupirs sont votre heureux ouvrage.

ARICIE

Seigneur, je ne vous puis nier la vérité.
1420 De votre injuste haine il n'a pas hérité.
Il ne me traitait point comme une criminelle.

THÉSÉE

J'entends, il vous jurait une amour éternelle.
Ne vous assurez point sur ce cœur inconstant.
Car à d'autres que vous il en jurait autant.

ARICIE

1425 Lui, Seigneur ?

THÉSÉE

Vous deviez le rendre moins volage.
Comment souffriez-vous cet horrible partage ?

ARICIE

Et comment souffrez-vous que d'horribles discours
D'une si belle vie osent noircir le cours ?
Avez-vous de son cœur si peu de connaissance ?
1430 Discernez-vous si mal le crime et l'innocence ?
Faut-il qu'à vos yeux seuls un nuage odieux
Dérobe sa vertu qui brille à tous les yeux ?
Ah ! c'est trop le livrer à des langues perfides.
Cessez. Repentez-vous de vos vœux homicides.
1435 Craignez, Seigneur, craignez que le ciel rigoureux
Ne vous haïsse assez pour exaucer vos vœux.

Souvent dans sa colère il reçoit nos victimes.
Ses présents sont souvent la peine de nos crimes.

THÉSÉE

Non, vous voulez en vain couvrir son attentat.
1440 Votre amour vous aveugle en faveur de l'ingrat.
Mais j'en crois des témoins certains, irréprochables.
J'ai vu, j'ai vu couler des larmes véritables.

ARICIE

Prenez garde, Seigneur. Vos invincibles mains
Ont de monstres sans nombre affranchi les humains.
1445 Mais tout n'est pas détruit ; et vous en laissez vivre
Un... Votre fils, Seigneur, me défend de poursuivre.
Instruite du respect qu'il veut vous conserver,
Je l'affligerais trop, si j'osais achever.
J'imite sa pudeur, et fuis votre présence
1450 Pour n'être pas forcée à rompre le silence.

SCÈNE IV

THÉSÉE *seul.*

Quelle est donc sa pensée ? Et que cache un discours
Commencé tant de fois, interrompu toujours ?
Veulent-ils m'éblouir par une feinte vaine ?
Sont-ils d'accord tous deux pour me mettre à la
[gêne [1] ?
1455 Mais moi-même, malgré ma sévère rigueur,
Quelle plaintive voix crie au fond de mon cœur ?
Une pitié secrète et m'afflige, et m'étonne [2].
Une seconde fois interrogeons Œnone.
Je veux de tout le crime être mieux éclairci.
1460 Gardes. Qu'Œnone sorte et vienne seule ici.

SCÈNE V

THÉSÉE, PANOPE

PANOPE

J'ignore le projet que la reine médite,
Seigneur. Mais je crains tout du transport qui l'agite.
Un mortel désespoir sur son visage est peint.
La pâleur de la mort est déjà sur son teint.
1465 Déjà de sa présence avec honte chassée
Dans la profonde mer Œnone s'est lancée.
On ne sait point d'où part ce dessein furieux.
Et les flots pour jamais l'ont ravie à nos yeux.

THÉSÉE

Qu'entends-je ?

PANOPE

Son trépas n'a point calmé la reine,
1470 Le trouble semble croître en son âme incertaine.
Quelquefois pour flatter [1] ses secrètes douleurs
Elle prend ses enfants, et les baigne de pleurs.
Et soudain renonçant à l'amour maternelle,
Sa main avec horreur les repousse loin d'elle.
1475 Elle porte au hasard ses pas irrésolus.
Son œil tout égaré ne nous reconnaît plus.
Elle a trois fois écrit, et changeant de pensée
Trois fois elle a rompu sa lettre commencée.
Daignez la voir, Seigneur, daignez la secourir.

THÉSÉE

1480 Ô ciel ! Œnone est morte, et Phèdre veut mourir ?
Qu'on rappelle mon fils, qu'il vienne se défendre,

Qu'il vienne me parler, je suis prêt de l'entendre.
Ne précipite point tes funestes bienfaits,
Neptune. J'aime mieux n'être exaucé jamais.
1485 J'ai peut-être trop cru des témoins peu fidèles.
Et j'ai trop tôt vers toi levé mes mains cruelles.
Ah ! de quel désespoir mes vœux seraient suivis !

SCÈNE VI

THÉSÉE, THÉRAMÈNE

THÉSÉE

Théramène, est-ce toi ? Qu'as-tu fait de mon fils ?
Je te l'ai confié dès l'âge le plus tendre.
1490 Mais d'où naissent les pleurs que je te vois répandre ?
Que fait mon fils ?

THÉRAMÈNE

Ô soins tardifs, et superflus !
Inutile tendresse ! Hippolyte n'est plus.

THÉSÉE

Dieux !

THÉRAMÈNE

J'ai vu des mortels périr le plus aimable,
Et j'ose dire encor, Seigneur, le moins coupable.

THÉSÉE

1495 Mon fils n'est plus ? Hé quoi ! quand je lui tends les [bras,
Les dieux impatients ont hâté son trépas ?
Quel coup me l'a ravi ? Quelle foudre soudaine ?

THÉRAMÈNE [1]

À peine nous sortions des portes de Trézène,
Il était sur son char. Ses gardes affligés
1500 Imitaient son silence, autour de lui rangés.
Il suivait tout pensif le chemin de Mycènes.
Sa main sur ses chevaux [2] laissait flotter les rênes.
Ses superbes coursiers, qu'on voyait autrefois
Pleins d'une ardeur si noble obéir à sa voix,
1505 L'œil morne maintenant et la tête baissée
Semblaient se conformer à sa triste pensée.
Un effroyable cri sorti du fond des flots
Des airs en ce moment a troublé le repos ;
Et du sein de la terre une voix formidable
1510 Répond en gémissant à ce cri redoutable.
Jusqu'au fond de nos cœurs notre sang s'est glacé.
Des coursiers attentifs le crin s'est hérissé.
Cependant sur le dos de la plaine liquide
S'élève à gros bouillons une montagne humide.
1515 L'onde approche, se brise, et vomit à nos yeux
Parmi des flots d'écume un monstre furieux.
Son front large est armé de cornes menaçantes.
Tout son corps est couvert d'écailles jaunissantes.
Indomptable taureau, dragon impétueux,
1520 Sa croupe se recourbe en replis tortueux.
Ses longs mugissements font trembler le rivage.
Le ciel avec horreur voit ce monstre sauvage,
La terre s'en émeut, l'air en est infecté,
Le flot, qui l'apporta, recule épouvanté.
1525 Tout fuit, et sans s'armer d'un courage inutile
Dans le temple voisin chacun cherche un asile.
Hippolyte lui seul digne fils d'un héros,
Arrête ses coursiers, saisit ses javelots,

Pousse au monstre, et d'un dard lancé d'une main [sûre
1530 Il lui fait dans le flanc une large blessure.
De rage et de douleur le monstre bondissant
Vient aux pieds des chevaux tomber en mugissant,
Se roule, et leur présente une gueule enflammée,
Qui les couvre de feu, de sang, et de fumée.
1535 La frayeur les emporte, et sourds à cette fois,
Ils ne connaissent plus ni le frein ni la voix.
En efforts impuissants leur maître se consume.
Ils rougissent le mors d'une sanglante écume.
On dit qu'on a vu même en ce désordre affreux
1540 Un dieu, qui d'aiguillons pressait leur flanc pou- [dreux.
À travers des rochers [1] la peur les précipite.
L'essieu crie, et se rompt. L'intrépide Hippolyte
Voit voler en éclats tout son char fracassé.
Dans les rênes lui-même il tombe embarrassé.
1545 Excusez ma douleur. Cette image cruelle
Sera pour moi de pleurs une source éternelle.
J'ai vu, Seigneur, j'ai vu votre malheureux fils
Traîné par les chevaux que sa main a nourris.
Il veut les rappeler, et sa voix les effraie.
1550 Ils courent. Tout son corps n'est bientôt qu'une plaie.
De nos cris douloureux la plaine retentit.
Leur fougue impétueuse enfin se ralentit.
Ils s'arrêtent, non loin de ces tombeaux antiques,
Où des rois ses aïeux sont les froides reliques [2].
1555 J'y cours en soupirant, et sa garde me suit.
De son généreux sang la trace nous conduit,
Les rochers en sont teints. Les ronces dégouttantes
Portent de ses cheveux les dépouilles sanglantes.
J'arrive, je l'appelle, et me tendant la main
1560 Il ouvre un œil mourant, qu'il referme soudain.

Le ciel, dit-il, *m'arrache une innocente vie.*
Prends soin après ma mort de la triste Aricie.
Cher ami, si mon père un jour désabusé
Plaint le malheur d'un fils faussement accusé,
1565 *Pour apaiser mon sang, et mon ombre plaintive,*
Dis-lui, qu'avec douceur il traite sa captive,
Qu'il lui rende... À ce mot ce héros expiré
N'a laissé dans mes bras qu'un corps défiguré,
Triste objet, où des dieux triomphe la colère,
1570 Et que méconnaîtrait l'œil même de son père.

THÉSÉE

Ô mon fils ! cher espoir que je me suis ravi !
Inexorables dieux, qui m'avez trop servi !
À quels mortels regrets ma vie est réservée !

THÉRAMÈNE

La timide Aricie est alors arrivée.
1575 Elle venait, Seigneur, fuyant votre courroux,
À la face des dieux l'accepter pour époux.
Elle approche. Elle voit l'herbe rouge et fumante.
Elle voit (quel objet pour les yeux d'une amante !)
Hippolyte étendu, sans forme et sans couleur.
1580 Elle veut quelque temps douter de son malheur,
Et ne connaissant plus ce héros qu'elle adore,
Elle voit Hippolyte, et le demande encore.
Mais trop sûre à la fin qu'il est devant ses yeux,
Par un triste regard elle accuse les dieux,
1585 Et froide, gémissante, et presque inanimée,
Aux pieds de son amant elle tombe pâmée.
Ismène est auprès d'elle. Ismène toute en pleurs
La rappelle à la vie, ou plutôt aux douleurs.
Et moi, je suis venu détestant la lumière [1]
1590 Vous dire d'un héros la volonté dernière,

Et m'acquitter, Seigneur, du malheureux emploi,
Dont son cœur expirant s'est reposé sur moi.
Mais j'aperçois venir sa mortelle ennemie.

SCÈNE DERNIÈRE

THÉSÉE, PHÈDRE,
THÉRAMÈNE, PANOPE, gardes

THÉSÉE

Eh bien vous triomphez, et mon fils est sans vie.
1595 Ah que j'ai lieu de craindre ! Et qu'un cruel soupçon
L'excusant dans mon cœur, m'alarme avec raison !
Mais, Madame, il est mort, prenez votre victime.
Jouissez de sa perte injuste, ou légitime.
Je consens que mes yeux soient toujours abusés,
1600 Je le crois criminel, puisque vous l'accusez.
Son trépas à mes pleurs offre assez de matières,
Sans que j'aille chercher d'odieuses lumières,
Qui ne pouvant le rendre à ma juste douleur,
Peut-être ne feraient qu'accroître mon malheur.
1605 Laissez-moi loin de vous, et loin de ce rivage
De mon fils déchiré fuir la sanglante image.
Confus, persécuté d'un mortel souvenir,
De l'univers entier je voudrais me bannir.
Tout semble s'élever contre mon injustice.
1610 L'éclat de mon nom même augmente mon supplice.
Moins connu des mortels je me cacherais mieux.
Je hais jusques au soin dont m'honorent les dieux.
Et je m'en vais pleurer leurs faveurs meurtrières,
Sans plus les fatiguer d'inutiles prières.
1615 Quoi qu'ils fissent pour moi, leur funeste bonté
Ne me saurait payer de ce qu'ils m'ont ôté.

PHÈDRE

Non, Thésée, il faut rompre un injuste silence ;
Il faut à votre fils rendre son innocence.
Il n'était point coupable.

THÉSÉE

Ah père infortuné !
1620 Et c'est sur votre foi que je l'ai condamné !
Cruelle, pensez-vous être assez excusée...

PHÈDRE

Les moments me sont chers, écoutez-moi, Thésée.
C'est moi qui sur ce fils chaste et respectueux
Osai jeter un œil profane, incestueux.
1625 Le ciel mit dans mon sein une flamme funeste.
La détestable Œnone a conduit tout le reste.
Elle a craint qu'Hippolyte instruit de ma fureur
Ne découvrît [1] un feu qui lui faisait horreur.
La perfide abusant de ma faiblesse extrême,
1630 S'est hâtée à vos yeux de l'accuser lui-même.
Elle s'en est punie, et fuyant mon courroux
A cherché dans les flots un supplice trop doux.
Le fer aurait déjà tranché ma destinée.
Mais je laissais gémir la vertu soupçonnée.
1635 J'ai voulu, devant vous exposant mes remords,
Par un chemin plus lent descendre chez les morts.
J'ai pris, j'ai fait couler dans mes brûlantes veines
Un poison que Médée apporta dans Athènes [2].
Déjà jusqu'à mon cœur le venin parvenu
1640 Dans ce cœur expirant jette un froid inconnu [3] ;
Déjà je ne vois plus qu'à travers un nuage
Et le ciel, et l'époux que ma présence outrage ;
Et la mort à mes yeux dérobant la clarté
Rend au jour, qu'ils souillaient, toute sa pureté.

PANOPE

1645 Elle expire, Seigneur.

THÉSÉE

D'une action si noire
Que ne peut avec elle expirer la mémoire !
Allons de mon erreur, hélas ! trop éclaircis
Mêler nos pleurs au sang de mon malheureux fils.
Allons de ce cher fils embrasser ce qui reste,
1650 Expier la fureur d'un vœu que je déteste.
Rendons-lui les honneurs qu'il a trop mérités.
Et pour mieux apaiser ses mânes irrités,
Que malgré les complots d'une injuste famille
Son amante aujourd'hui me tienne lieu de fille.

FIN.

DOSSIER

CHRONOLOGIE

1639-1699

1639. 22 décembre, baptême à La Ferté-Milon de Jean Racine, d'une famille de petits notables provinciaux, liée aux jansénistes de Port-Royal.

1641-1643. Décès de sa mère, morte en couches, puis de son père. Jean et sa sœur sont pris en charge par leurs grands-parents, maternels puis paternels.

1649-1658. Sa grand-mère à son veuvage est admise avec son petit-fils et filleul à l'abbaye de Port-Royal de Paris, où sa fille Agnès, future abbesse, est religieuse depuis un an. Le jeune garçon est éduqué à titre gracieux par les maîtres des Petites Écoles, et dans les collèges jansénistes de Beauvais et d'Harcourt à Paris.

1659-1660. Entrée dans le monde des lettres : rencontre de La Fontaine, premier essai de tragédie, poésies de circonstance qui lui valent une gratification.

1661-1662. Retraite de quelques mois à Uzès auprès d'un oncle vicaire général dans l'espoir, déçu, d'un bénéfice ecclésiastique.

1663. Retour à Paris : Racine fréquente Molière, Boileau, et se fait remarquer par des poésies encomiastiques qui lui vaudront une pension l'année suivante.

1664. 20 juin, création de *La Thébaïde ou les Frères ennemis* par la troupe de Molière.

1665. 4 décembre, création par Molière d'*Alexandre le Grand*, que Racine porte bientôt, contre tout usage, aux comédiens plus prestigieux de l'Hôtel de Bourgogne.

1666 Rupture et polémique avec Port-Royal à l'occasion d'un traité janséniste de Nicole hostile au théâtre.

1667-1668. Liaison avec la Du Parc, arrachée à la troupe de Molière pour créer le personnage titre d'*Andromaque* (17 novembre 1667), et qui meurt dans des conditions mystérieuses.

1668. Attaques de Molière ; premières polémiques du clan cornélien à l'encontre de Racine. Création, en novembre, de son unique comédie, *Les Plaideurs*.

1669. 13 décembre, création de *Britannicus*, sa première tragédie romaine, qui est un demi-échec.

1670. La Champmeslé, qui devient sa maîtresse, reprend ou crée les rôles d'héroïnes de ses tragédies. 21 novembre, première de *Bérénice*, qui triomphe du *Tite et Bérénice* de Corneille, créé le 28 par Molière.

1672. 1er janvier, première de *Bajazet*, joué dès le 22 à la cour, où Racine jouit de la protection de la Montespan, maîtresse du roi. En décembre, élection à l'Académie française. 23 (ou 30 ?) décembre, création de *Mithridate*.

1674. 18 août, création d'*Iphigénie* au cours des fêtes de Versailles. Racine accède à la charge, anoblissante, de Trésorier de France.

1676. Édition collective des *Œuvres*, textes et préfaces remaniés.

1677. 1er janvier, première de *Phèdre et Hippolyte* (devenu *Phèdre* à partir de l'édition de 1687), en concurrence avec une tragédie de même titre de Pradon. Mariage bourgeois, d'où naîtront sept enfants, et nomination à la charge d'historiographe du roi avec Boileau.

1678. Début d'une carrière de courtisan jusqu'en 1698. Racine et Boileau, en qualité d'historiographes, suivent le roi dans sa campagne contre Gand et Ypres (de même en Alsace en 1683).

1679. Réconciliation avec Port-Royal. Un instant compromis dans l'« affaire des poisons » pour la mort de la Du Parc.

1685. 2 janvier, bel éloge de Pierre Corneille par Racine lors de la réception de Thomas Corneille au fauteuil de son frère.

1687. Nouvelle édition, revue et corrigée, de ses *Œuvres*.

1689. 26 janvier, création d'*Esther*, tragédie biblique, pour l'institution de Saint-Cyr fondée par Mme de Maintenon.

1690. Racine est nommé gentilhomme ordinaire du roi, charge qui deviendra héréditaire en 1693.

1691. 5 janvier, représentation d'*Athalie* en petit comité à Saint-Cyr, en présence du roi.

1691-1693. Racine suit le roi aux sièges de Mons et de Namur

1695. Le roi lui attribue un logement à Versailles.

1697. Troisième édition collective, révisée, de ses *Œuvres*.

1698. Demi-disgrâce en cour pour ses sympathies port-royalistes.

1699. 21 avril, mort de Racine à Paris, enseveli à Port-Royal.

NOTICE

UNE ŒUVRE LONGUEMENT PRÉPARÉE ?

Phèdre, sous le titre de *Phèdre et Hippolyte,* fut créée le 1er janvier 1677, par les comédiens du théâtre de l'Hôtel de Bourgogne. Comme Racine n'avait plus rien donné pour le théâtre depuis *Iphigénie,* apparue à Versailles l'été 1674, on en a déduit que sa nouvelle tragédie était l'ouvrage de deux ans. Aucune autre autorité que celle de Pradon, auteur d'une *Phèdre et Hippolyte* concurrente, ne permet de confirmer cette idée : « Je ne doute point », écrivait celui-ci à la fin de la préface de sa tragédie, « que l'on ne trouve quelques fautes dans cette pièce, dont les vers ne m'ont coûté que trois mois, puisqu'on en trouve bien dans celles qu'on a été deux ans à travailler et à polir. » Si l'on voit bien qu'il s'agissait pour Pradon — à un moment où son succès tenait en balance celui de Racine — de vanter sa propre facilité d'écrivain au détriment de son rival présenté ainsi comme besogneux, la remarque a été tournée en bonne part, dès que *Phèdre* a été considérée comme le chef-d'œuvre de la tragédie classique ; et Voltaire d'admirer cinquante ans plus tard : « Deux années entières suffirent à peine à Racine pour écrire sa *Phèdre*[1]. » Désormais on venait d'entrer dans le domaine de l'évidence : *Phèdre* ne peut être qu'une œuvre de longue haleine.

En fait, on ignore tout de la genèse de cette tragédie, et il paraît très hasardeux de ne se fonder que sur l'écart entre deux dates : membre de l'Académie française, chéri par la Cour, débarrassé de la grande ombre de Corneille qui n'écrit plus pour le théâtre

1. Cité dans *Œuvres* de Jean Racine, Paul Mesnard éd., Hachette, 1865, t. III, p. 245.

depuis 1674, Racine a toutes les raisons de prendre son temps désormais ; il peut achever de consolider sa position dans le champ littéraire. Or, il semble qu'une bonne part de l'année 1675 ait été consacrée à l'édition du second volume de ses *Œuvres* — corrigées et dotées de nouvelles préfaces — qui paraît en librairie au début de 1676. Bref, *Phèdre* est peut-être l'œuvre de quelques mois.

La première mention d'une nouvelle œuvre de Racine n'apparaît qu'au début d'octobre 1676, dans une lettre de Pierre Bayle : « M. de Racine travaille à la tragédie d'*Hippolyte,* dont on attend un grand succès. » La nouvelle n'en était certainement pas si ancienne que Bayle ait ainsi pris la peine d'en informer un professeur de belles-lettres de Genève qui ne devait pas être trop mal renseigné par ailleurs sur l'actualité de la République des Lettres. Et Pradon lui-même, en parlant des trois mois dont il a disposé pour écrire une pièce concurrente, nous confirme qu'il n'a pas commencé à être question de *Phèdre* avant la fin de l'été. Le travail de Racine n'avait-il effectivement commencé que depuis peu ? Cela expliquerait qu'à la fin décembre, selon certaines sources, il ait songé à retarder les représentations, estimant que la Champmeslé, à qui selon l'usage il donnait des conseils de diction quasiment vers à vers, ne les disait pas encore à la perfection. « Mais la Champmeslé, qui savait son rôle, et qui voulait gagner de l'argent, obligea M. Racine à donner sa pièce [1]. »

DES DÉBUTS DIFFICILES

D'après la même source, une autre raison plaidait en faveur d'un délai supplémentaire, la concurrence annoncée de la tragédie de Pradon : « M. Despréaux [Boileau] avait conseillé à M. Racine de ne pas faire représenter sa tragédie dans le même temps que Pradon devait faire jouer la sienne, et de la réserver pour un autre temps, afin de ne pas entrer en concurrence avec Pradon. » La *Phèdre et Hippolyte* de Pradon fut créée le 3 janvier sur la scène rivale du théâtre Guénégaud, qui rassemblait les anciennes troupes de Molière et du Marais, soit deux jours après celle de Racine. Ce n'était pas la première fois que celui-ci avait affaire à ce procédé du « doublage », très fréquent au XVIIe siècle, et utilisé le plus souvent par l'Hôtel de Bourgogne pour concurrencer les autres théâtres — ce qui permettait quelquefois aux deux troupes de tirer bénéfice du bruit suscité par cette émula-

1. Brossette, [in] R. Picard, *Nouveau Corpus racinianum,* p. 481.

tion : il en avait eu lui-même la responsabilité en 1670, lorsqu'il avait décidé d'écrire une *Bérénice* pour l'affronter au *Tite et Bérénice* de Corneille, avant d'en être victime en 1674, lors d'*Iphigénie,* concurrencée par l'*Iphigénie* de Le Clerc et Coras, qu'il semblerait d'ailleurs avoir tenté d'étouffer.

Cette fois, la confrontation parut tourner dans un premier temps en faveur de Pradon. Selon un témoignage postérieur, « durant plusieurs jours Pradon triompha, mais tellement que la pièce de Racine fut sur le point de tomber, et à Paris et à la cour », et Racine en aurait été « au désespoir [1] ». De fait, une quinzaine après la création des deux pièces, la *Gazette d'Amsterdam* publiait une dépêche de Paris datée du 8 janvier où l'on lisait : « On a trouvé la première dans le goût des Anciens, mais la dernière a plus donné dans celui du public. » Le mois suivant, la situation semblait inchangée, un correspondant de Leibniz constatant que Pradon l'emportait sur Racine, « quoique celui-ci fasse représenter sa pièce à l'Hôtel, où sont les meilleurs acteurs [2] ». On a de la peine cependant à mesurer la nature de cet avantage : seul le *Registre* du théâtre Guénégaud est passé à la postérité, et il est impossible de comparer les chambrées de chacune des deux salles concurrentes. L'Hôtel de Bourgogne fut-il vraiment sur le point de retirer de l'affiche la pièce de Racine ? Ce qu'on peut lire en tout cas dans le *Registre,* c'est que, passé la première, les loges du théâtre Guénégaud restèrent souvent aux trois quarts vides, et que pour l'ensemble de la salle la fréquentation fut constamment médiocre. Le triomphe de Pradon était donc très relatif. Mais en un temps où, lorsqu'une pièce tenait plus de quinze représentations successives, elle était considérée comme un succès, les contemporains ont dû estimer que face à la notoriété exceptionnelle de Racine et de son actrice principale, la Champmeslé, considérée comme la meilleure actrice de son temps, c'était une victoire qu'était en train de remporter Pradon en obtenant que sa pièce reste à l'affiche de façon presque ininterrompue durant près de trois mois — et ce, en dépit de la médiocre réputation du théâtre Guénégaud pour le tragique et de la dérobade de ses deux meilleures actrices (dont la veuve de Molière).

La relâche de Pâques, durant laquelle les théâtres restaient fermés plusieurs semaines, fut fatale à la pièce de Pradon : reprise en mai, elle sombra immédiatement, tandis que la supériorité de

1. Lettre de Valincour à l'abbé d'Olivet, [in] d'Olivet, *Histoire de l'Académie française depuis 1652 jusqu'à 1700,* p. 368.
2. [In] R. Picard, *Nouveau Corpus racinianum,* p. 100.

celle de Racine était définitivement reconnue. L'élément décisif, semble-t-il, fut la publication presque simultanée des deux tragédies durant le courant du mois de mars [1] : c'était aux lecteurs désormais de trancher à tête reposée. Le témoignage le plus significatif est celui du directeur de l'influent *Mercure galant*, Donneau de Visé, allié des frères Corneille — dont le Rouennais Pradon a pu passer un temps pour le protégé —, et qui n'avait jusqu'alors manifesté aucune indulgence envers Racine. Non seulement il soulignait la « fort grande différence à faire, de Phèdre amoureuse du fils de son mari, et de Phèdre qui aime seulement le fils de celui qu'elle n'a pas encore épousé », mais il mettait en valeur les qualités de la Phèdre racinienne aux prises avec une passion qui lui fait horreur et à laquelle elle est contrainte de s'abandonner, qu'elle voudrait taire à elle-même et qu'elle n'avoue qu'au seuil de la mort ; et, après avoir précisé que « c'est ce qui demande l'adresse d'un grand maître », il ajoutait : « Ces choses sont tellement essentielles au sujet d'*Hippolyte* que c'est ne l'avoir pas traité que d'avoir éloigné l'image de l'amour incestueux qu'il fallait nécessairement faire paraître [2]. » Le mois suivant, il revenait à la charge : « Monsieur de Racine est toujours Monsieur Racine, et ses vers sont trop beaux pour ne pas donner à la lecture le même plaisir qu'ils donnent à les entendre réciter au théâtre [3]. » La cause était définitivement entendue.

CONCURRENCE OU CABALE ?

Les difficultés rencontrées par la *Phèdre* de Racine pour s'imposer rapidement face à la pièce médiocre de Pradon ont vite paru aux yeux de la postérité ne pouvoir être d'ordre strictement littéraire : négligeant l'avis du correspondant de la *Gazette d'Amsterdam* à qui il avait semblé en janvier 1677 que la tragédie de Pradon l'emportait parce qu'elle rencontrait le goût du public, on a préféré voir dans ce succès le résultat d'une cabale, c'est-à-dire d'un vrai complot organisé pour faire tomber l'œuvre de Racine, complot venu de loin, de toutes les haines et jalousies accumulées contre Racine au cours des douze précédentes années. Les

1. L'achevé d'imprimer de la pièce de Racine date du 15 mars 1677, celui de la pièce de Pradon, du 13.
2. *Le Nouveau Mercure galant contenant tout ce qui s'est passé de curieux depuis le 1er de janvier jusqu'au dernier mars 1677*, [in] R. Picard, *Nouveau Corpus racinianum*, p. 105.
3. *Ibid.*

deux mots, « cabale » et « complot », Boileau les avait lâchés dès février dans une Épître en vers, *À M. Racine,* et ils ont été pris pour argent comptant [1].

Il est vrai que la création de la pièce de Racine s'était déroulée dans un climat fortement conflictuel. Au lendemain de la première, un sonnet avait couru dans tout Paris, ridiculisant l'intrigue de la pièce ainsi que l'actrice qui jouait le rôle d'Aricie [2]. Il n'y aurait guère eu de matière à s'émouvoir, si ce sonnet n'avait donné lieu à une réponse sous forme de bouts-rimés : ce deuxième sonnet mettait en cause de façon extrêmement insultante le duc de Nevers, le désignant en même temps comme l'auteur du premier, et le bruit courut tout aussitôt que Racine et Boileau en étaient les auteurs. Cette « guerre des sonnets » prit donc immédiatement des proportions considérables : deux poètes sortis du rang croyaient que leurs hautes protections les autorisaient à insulter et ridiculiser un très grand seigneur ; risquant d'être bâtonnés, ils coururent se réfugier auprès du prince de Condé. Tandis qu'il apparaissait que le duc de Nevers n'était pas à l'origine du premier sonnet, Racine et Boileau durent proclamer publiquement qu'ils n'étaient pas de leur côté les auteurs du sonnet injurieux (ce qui est probablement vrai) et, grâce à l'entremise de Condé, l'affaire s'apaisa.

Elle laissa des séquelles cependant. D'autres sonnets circulèrent, sur les mêmes rimes, tous violemment hostiles à Racine et Boileau, mais loin de leur nuire, ils permirent aux deux amis de passer désormais pour les victimes d'une cabale concertée. C'est à quoi s'employa Boileau avec son Épître *À M. Racine,* mettant la cabale au compte des auteurs jaloux, et invoquant le patronage des puissants de la cour, au premier rang desquels le Roi, Condé, Colbert, ainsi que les deux ducs-écrivains, La Rochefoucauld et Montauzier. Et c'est à partir de quoi l'histoire a été réécrite au siècle suivant par les panégyristes respectifs de Boileau et de Racine, Claude Brossette et Louis Racine. Selon eux, Racine et sa *Phèdre* auraient bien été victimes d'une cabale, qui aurait pris naissance dans l'entourage de deux femmes d'esprit, auteurs à leurs heures et protectrices de nombreux poètes, dont le point commun aurait

1. « [...] et lorsqu'une Cabale, / Un flot de vains Auteurs follement te ravale, / Profite de leur haine et de leur mauvais sens : / Ris du bruit passager de leurs cris impuissants. / Que peut contre tes vers une ignorance vaine ? / Le Parnasse Français anobli par ta veine / Contre tous ces complots saura te maintenir, / Et soulever pour toi l'équitable Avenir » (*Épître* VII, v. 71-78).

2. « Une grosse Aricie au cuir rouge, aux crins blonds, / N'est là que pour montrer deux énormes tétons, / Que malgré sa froideur Hippolyte idolâtre. »

été leur hostilité à Racine et Boileau. La moins puissante était Mme Deshoulières qui avait la première protégé Pradon, et aurait été, selon le récit tardif de sa fille à Brossette, le véritable auteur du premier sonnet. La seconde était la duchesse de Bouillon, l'une des Mancini, nièce de Mazarin et sœur du duc de Nevers, qui tenait un salon très en vue — et très hostile à Colbert, donc aux écrivains qu'il protégeait, au premier rang desquels Racine et Boileau. C'est à l'Hôtel de Bouillon qu'aurait été préparé le complot contre Racine, Mme Deshoulières et Mme de Bouillon poussant Pradon à écrire une tragédie qui concurrencerait celle de Racine, et ensuite louant suffisamment de places dans les deux théâtres concurrents — selon Louis Racine, la manœuvre ne concerna que les loges — pour que la pièce de Racine fût jouée, durant les six premières représentations, devant une salle presque vide et celle de Pradon devant une salle pleine. Or, aucun document ne permet de confirmer ces allégations. Non seulement les liens entre Pradon et les Mancini semblent consécutifs à la guerre des sonnets [1], mais surtout les interventions sur les locations paraissent purement imaginaires : le registre du théâtre Guénégaud n'en fait pas état, montrant au contraire que les loges restèrent presque vides de la deuxième à la sixième représentation de la pièce de Pradon ; inversement on sait que Condé et sa suite occupèrent deux loges à l'Hôtel de Bourgogne lors de la deuxième représentation de la *Phèdre* de Racine. Qu'il y ait eu un climat d'hostilité envers Racine est indéniable, mais, on le voit, rien ne permet de parler de manœuvres et encore moins de cabale.

En fait, faire passer Racine pour la victime exclusive des attaques d'une coterie présentait l'avantage de dissimuler les propres manœuvres du poète pour étouffer l'œuvre de son rival — ce qu'il avait déjà fait en 1674 lorsqu'il avait tenté, semble-t-il, d'empêcher, ou à tout le moins de retarder, la création d'une autre *Iphigénie*. Certes Pradon est le seul à laisser entendre que Racine serait intervenu directement auprès du Roi pour empêcher que les deux *Phèdre* soient jouées en même temps — quoique ses accusations, publiées en 1685, n'aient jamais été contredites par le clan racinien. Mais la suite du texte donne une troublante explication au refus des deux meilleures actrices du théâtre Guénégaud, la Molière et la de Brie, de jouer le rôle de Phèdre : « Ces Messieurs [Racine et Boileau], voyant qu'ils ne pouvaient plus apporter d'obstacles à ma *Phèdre* du côté de la cour, par des bassesses honteuses, indignes du caractère qu'ils doivent avoir, empêchèrent les

1. Voir R. Picard, *La Carrière de Jean Racine*, p. 234.

meilleures actrices d'y jouer [1]. » Une fois encore l'accusation est à prendre avec précaution. On ne voit pas quel moyen de pression Racine pouvait avoir contre des comédiennes avec lesquelles il était brouillé depuis que, douze ans plus tôt, il avait retiré son *Alexandre* à la troupe de Molière pour le donner à l'Hôtel de Bourgogne ; avait-il fait exercer des pressions par ses protecteurs ? En tout cas, l'auteur anonyme de la *Dissertation sur les tragédies de Phèdre et Hippolyte,* publiée en mars 1677 et attribuée à Subligny, qui affecte de préférer la version de Pradon, se contente de noter : « Je ne vous dirai point [...] s'il est vrai que M. Racine ait eu l'adresse et le pouvoir d'enlever à Pradon les principales forces de la troupe », ajoutant que c'est par crainte de rivaliser avec la Champmeslé dans la pièce de Racine que Mlle Molière avait refusé le rôle. La prudence, ici encore, s'impose dans l'interprétation, et dans l'établissement même des faits.

LES ENJEUX D'UN AFFRONTEMENT

Le seul fait indubitable est que le goût du public n'alla pas du premier mouvement à Racine, davantage « dans le goût des Anciens ». En effet, le goût galant, attaché à la bienséance du siècle, dont les dames se sont instaurées les arbitres depuis la Fronde, réprouva vivement dans *Phèdre,* selon la *Dissertation sur les tragédies de Phèdre et Hippolyte,* « les termes d'impur, d'inceste, d'adultère, de chaste [...] qui y sont trop souvent répétés, et qui ne doivent point entrer dans des vers où d'ailleurs on admire tant de belles pensées ». On songe aux « précieuses » ridicules de Molière se récriant devant les « saletés » et les « ordures » suggérées à l'imagination effarouchée par *L'École des femmes* de Molière : « L'idée d'inceste glace nos cœurs. J'ai vu les dames les moins délicates n'entendre les mots dont cette pièce est farcie qu'avec le dégoût que donnent les termes les plus libres, et je trouverais M. Racine fort dangereux, s'il avait fait cette odieuse criminelle aussi aimable et autant à plaindre qu'il en avait envie, puisqu'il n'y aurait point de vice qu'il ne pût embellir et insinuer agréablement après ce succès. » Et l'omniprésence scénique du « caractère forcené » de Phèdre, à qui le poète « donne trop d'amour, trop de fureur et trop d'effronterie » à se déclarer, empêche malencontreusement de détourner son attention, comme naguère dans *Bajazet,* vers le couple de jeunes amoureux, émouvant dans sa perfection malheu-

1. *Nouvelles Remarques sur tous les ouvrages du sieur D****, La Haye, 1685, p. 70.

reuse, formé par Hippolyte et Aricie, et précisément imaginé pour doter la tragédie de cette tendresse « pastorale » appréciée des esprits raffinés depuis l'*Astrée*, le célèbre roman d'Honoré d'Urfé publié au début du siècle. En permettant de surcroît la constitution d'une chaîne amoureuse opposant désir et interdits, le personnage épisodique d'Aricie donne pourtant matière à d'ingénieuses complications sentimentales, à la manière de la tragédie galante de Quinault et Thomas Corneille, et de révélations fortement intriguées, au milieu desquelles l'incivile et obstinée fureur de Phèdre a le mauvais goût de détonner. Racine retrouvait de la sorte le rapport ambigu au public qui était le sien depuis qu'avec *Andromaque* il avait choisi de s'appuyer sur les tendresses de l'amour à la mode pour les approfondir en passion tragique : Pyrrhus, dont pourtant il avait « adouci un peu la férocité », avait été jugé trop emporté contre Andromaque — « Mais que faire ? Pyrrhus n'avait pas lu nos romans » (première préface) —, comme Hippolyte trop sauvage dans son rapport à l'amour, quoique par ailleurs entièrement soumis au service de sa dame.

Mais il semble aussi que dans sa dernière tragédie profane Racine ait résolu de se poser plus décidément en seul continuateur légitime des Anciens. La retraite de Corneille après *Suréna* (1674) l'affranchissait définitivement d'une compétition sur le terrain de la tragédie politique moderne, tandis qu'en 1676 le frontispice de ses *Œuvres* dessiné par Charles Lebrun affichait son originalité propre en plaçant sa Muse tragique directement sous le patronage d'Aristote, dont les deux émotions de Crainte et de Pitié s'inscrivaient en caractères grecs. De plus, alors que d'Aubignac dans sa *Pratique du théâtre* parue en 1657 émettait des réserves à l'égard de nombreux sujets antiques trop horribles pour la délicatesse de la scène moderne, Racine, à la différence de ses devanciers immédiats et de son rival, renonçait à adoucir la donnée de *Phèdre* en faisant l'héroïne seulement promise à Thésée, au risque de détruire le sujet comme à la réflexion l'admit le journaliste Donneau de Visé. Enfin, il se hasardait à faire chanter avec insistance les noms des lignées mythologiques aux oreilles des dames généralement peu préparées par leur éducation à goûter leurs savants échos : Subligny se formalisait, au même titre que des vocables se référant à la sexualité, de l'« Achéron paternel et maternel » lui aussi « trop souvent répété ». Racine, en posant au docte, frisait le reproche de pédantisme, à tout coup rédhibitoire dans la société des « honnêtes gens ».

Avec *Phèdre* le dramaturge a donc décidé de se ranger du côté des doctes, héritiers de l'humanisme renaissant, qui constituent la part savante du public. L'affirmation affichée dans la préface du dessein moral de la tragédie en est un premier signe. Déjà, dans la préface d'*Iphigénie* en 1674, il s'en était pris vivement à l'opéra d'*Alceste*, genre moderne nouvellement créé par Lully et Quinault qui avilissait la tragédie d'Euripide par l'exaltation du plaisir amoureux. Or, dans ses *Réflexions sur la Poétique d'Aristote* (1674) le jésuite René Rapin venait de déplorer « la fantaisie des opéras de musique, dont le peuple et même les honnêtes gens se sont laissé entêter, [qui] sera peut-être capable dans la suite de décourager les esprits pour la tragédie » (XXIII). Rapin côtoyait Racine et Boileau à l'académie privée qui se réunissait autour du bien-pensant Lamoignon, Premier Président du Parlement ; plus précisément encore, le dramaturge avait affecté de solliciter sur la pureté des vers de *Phèdre* l'avis des P. Rapin et Bouhours, celui-ci auteur en 1671 des *Entretiens d'Ariste et d'Eugène* qui recommandaient de tirer le meilleur du courant galant pour mieux perpétuer les genres savants. Si par ailleurs l'on songe que, depuis la publication en 1674 du *Traité du sublime* du pseudo-Longin par son ami Boileau, Racine participait, dans le cercle de Mme de Montespan dont il était le protégé, de la « cabale du sublime [1] » qui préconisait le haut style en littérature, on s'avise que la prise de position esthétique de *Phèdre* contribue à l'intégrer dans un clan (car il est aussi protégé de Colbert et de Condé) qui va le pousser dans la faveur du roi jusqu'à lui faire obtenir avec Boileau, en septembre 1677, la charge enviée d'historiographe du roi. Et il a, parallèlement, patiemment négocié un mariage bourgeois dans son milieu d'origine qui, en mai 1677, le pose enfin socialement.

On conçoit dans ces conditions que Racine ait été particulièrement ulcéré d'un possible échec de sa tragédie. Avait-il pensé pouvoir sans provoquer de résistance incliner le penchant naturel du public vers l'élévation sévère de *Phèdre* ? Sans doute avait-il flairé un tournant dans la politique royale autour de 1675, avec l'inflexion du programme de travaux de Versailles, moins décidément tournée vers le plaisir, et le rapprochement du roi avec la papauté à propos de la « régale ». De son côté, l'*Art poétique* de Boileau en 1674 sonnait comme un rappel à l'ordre et aux hiérarchies littéraires, et en 1676 c'en était fait dans l'opéra d'*Atys* de l'exaltation sans partage du sentiment amoureux. Les réticences rencontrées par Racine à la scène s'expliqueraient-elles par le fait

1. En 1675, le duc du Maine reçut en étrennes de sa tante, Mme de Thianges, un ensemble de figurines en cire, la Chambre du Sublime, le représentant montrant des vers à La Rochefoucauld, en présence de Bossuet, Racine, Boileau, La Fontaine et Mme de Lafayette.

qu'il aurait anticipé le passage effectif de la société d'un goût du plaisir festif à l'austérité morale, puis dévote ? En fait, quand on considère que l'exemple de *Phèdre* est demeuré sans postérité, et que le *Tiridate* de Campistron (1691) en prendra bientôt l'exact contre-pied esthétique et moral, il apparaît qu'à cette date le contexte d'un début de mise au pas morale a surtout favorisé une ultime et exceptionnelle floraison du théâtre de tradition humaniste.

PHÈDRE, UNE TRAGÉDIE HUMANISTE CONTEMPORAINE

Dès sa première tragédie, *La Thébaïde ou les Frères ennemis*, Racine avait en effet marqué sa prédilection pour la haute tradition tragique en empruntant son sujet à la geste des Labdacides, qui aux yeux d'Aristote avait fourni au genre son modèle d'excellence avec l'*Œdipe roi* de Sophocle. Après quoi il se tourna vers Euripide, auquel il emprunta le sujet de ses autres tragédies grecques, *Andromaque, Iphigénie* et *Phèdre*. Par là il se rattachait à une veine mythologique illustrée dès la Renaissance par Robert Garnier, auteur lui-même d'un *Hippolyte* (1573) imité à la fois de l'*Hippolyte porte-couronne* d'Euripide (428 av. J.-C.) et de l'*Hippolyte* (ou *Phaedra*) du Latin Sénèque (Iᵉʳ siècle de notre ère), et pratiquée après lui, sur le même sujet, par La Pinelière en 1634-1635, Gabriel Gilbert en 1645 et Bidar en 1675. Ce faisant, Racine ne se coupait pas non plus de toute actualité, d'autant moins qu'Ariane, la sœur de Phèdre, venait de donner son nom, en 1672, à une tragédie à succès de Thomas Corneille (interprétée par la Champmeslé), sur le mode élégiaque qui avait naguère si bien réussi à Racine lui-même dans *Bérénice*, et que Donneau de Visé, la saison 1671-1672, avait exalté musicalement dans sa tragédie à machines des *Amours de Bacchus et d'Ariane*. Thésée y figurait en qualité de séducteur volage, tandis que le versant héroïque du personnage se voyait peu après illustré, en 1675, par l'opéra de Lully et Quinault de Thésée, après qu'Hercule son modèle et prédécesseur fût descendu aux enfers dans l'opéra d'*Alceste* en 1674. Plus précisément encore, Quinault avait en 1671 pris pour sujet de sa dernière tragédie les mésaventures de Bellérophon en butte aux avances de la reine Sténobée, en bien des points comparables à celles d'Hippolyte. Racine devait faire la synthèse de toutes ces données en construisant ce personnage de manière à enrichir sa *Phèdre* des prestiges d'une légende qui confrontait, eu égard à l'idéal du XVIIᵉ siècle, les principes de valeur et d'amour également indispensables à la perfection du héros moderne.

Ainsi, tout en se targuant de se rattacher directement à la source antique, Racine, mais fidèle en cela même à l'esprit de l'humanisme, qui ne conçoit la création qu'appuyée sur la somme des productions accumulées de l'esprit humain, prenait en compte la faveur et l'évolution des figures littéraires en rapport avec son thème central, l'amour incestueux d'une femme adultère pour son beau-fils. Il est évident que dans ce contexte, à côté des tragédies grecque et latine, tient une place majeure, outre le modèle biblique de la femme de Putiphar s'en prenant à Joseph (*Genèse*, XXXIX-XLI), la version historicisée et christianisée du mythe de Phèdre, qui avait transposé sous le règne de l'empereur Constantin les sentiments coupables de la reine, ici l'impératrice Fausta, hostile aux chrétiens, pour son beau-fils Crispe, devenu chrétien. Or, cette version de la mort de Crispe avait été largement répandue par le théâtre de collège depuis la fin du XVIe siècle par le P. Stefonio, et portée sur la scène publique en 1638 par Grenaille, puis en 1644 par Tristan L'Hermite dans leurs tragédies de *La Mort de Crispe*. C'est même Tristan, en faisant son Crispe amoureux, qui a pu suggérer à Gilbert et Bidar, suivis par Racine, la transformation comparable d'Hippolyte, adoptée de son côté par Quinault dans le cas de Bellérophon.

Reste que Racine est remonté aux modèles antiques, Euripide et Sénèque, pour imposer dans sa crudité la structure parentale triangulaire qui, dans les conceptions occidentales, double d'inceste l'adultère [1] : Sénèque a fourni, et souvent jusque dans le détail de l'expression, le canevas traditionnel à trois temps, de la tentation, du refus horrifié et de la calomnie, enrichi des variations personnelles d'Euripide sur le thème, qui non sans paradoxe doue l'héroïne d'un sens aigu de la pureté et de la faute, au point

1. Relevons qu'un véritable créateur comme Corneille s'était déjà élevé contre certaines dénaturations du sujet à propos d'une *Mort de Crispe* italienne, *Il Constantino* de Ghirardelli (1653), dans laquelle le père et le fils ignoraient leur parenté : « Les ressentiments, le trouble, l'irrésolution, et les déplaisirs de Constantin auraient été bien autres à prononcer un arrêt de mort contre son fils, que contre un soldat de fortune. L'injustice de sa préoccupation aurait été bien plus sensible à Crispe de la part d'un père, que de la part d'un maître ; et la qualité de fils, augmentant la grandeur du crime qu'on lui imposait, eût en même temps augmenté la douleur d'en voir un père persuadé. Fauste même aurait eu plus de combats intérieurs pour entreprendre un inceste, que pour se résoudre à un adultère, ses remords en auraient été plus animés, et ses désespoirs plus violents. L'auteur a renoncé à tous ces avantages pour avoir dédaigné de traiter ce sujet comme l'a traité de notre temps le père Stephonius jésuite, et comme nos Anciens ont traité celui d'Hippolyte » (*Discours de la tragédie*, 1660).

qu'elle meurt d'apprendre que la nourrice a trahi son secret, et ne recourt à une dénonciation du jeune homme, posthume, que pour sauvegarder l'honneur de ses enfants. Dans cette entreprise d'intégration, Racine s'ingénie, à l'intérieur d'un scénario de tentation effective, à rendre les aveux, tant d'Hippolyte au demeurant que de Phèdre, le fruit involontaire d'un entraînement passionnel au cours de rencontres commandées au départ par des préoccupations dynastiques (telle est la justification majeure des enjeux politiques, qui sont de l'invention de Racine). À tous égards *Phèdre* apparaît comme un *thesaurus* de la tradition, cumulant aussi bien les réactions de crainte et de ressentiment pour Hippolyte éparses dans les versions de la légende, que la double condamnation du héros par Thésée, à l'exil ou à la mort. De même, des deux pôles du récit constitués par le héros mis à l'épreuve, autour de qui s'organise le scénario initial, et par la tentatrice, d'abord marginale, mais riche dans la tragédie d'Euripide de virtualités morales et psychologiques développées par les modernes, Racine ne sacrifie aucun, comme l'atteste le titre complet de sa tragédie : si l'héroïne capte à son profit la substance du rôle d'Hippolyte en s'appropriant, au sein même du désir amoureux, le sentiment d'horreur pour soi qui était le fait du héros seul, Hippolyte en retour s'enrichit, avec le désir qui le porte à son tour à s'affranchir de la loi, de la honte inhibitrice de soi. Contamination et translation soulignées par la composition concertante des premiers actes.

Car Racine ne se contente pas, comme trop de ses prédécesseurs, de juxtaposer des motifs qui pourraient s'avérer hétérogènes ou divergents, il les fond dans une structure nouvelle qui leur confère un sens original en accord avec la structure profonde du mythe — le silence observé par Hippolyte, associé désormais à une misogynie d'adolescent —, tout en resserrant les rapports entre les acteurs du drame : de même que la calomnie inverse la relation affective réelle à l'œuvre dans le couple Phèdre-Hippolyte, la transgression dont le jeune homme est l'auteur pervertit les relations de confiance admirative du fils et du père imaginées par Racine. Le couple Thésée-Hippolyte repose ainsi sur la frustration d'une affection réciproque fondée sur un compagnonnage héroïque inédit, mais imaginé d'après le modèle attesté du couple Alcide-Thésée : il fait du héros en herbe un double jeune et virginal d'un père déjà mûr — représentation qui autorise le brouillage de leurs images chez une Phèdre hallucinée, elle-même confondue avec sa sœur au labyrinthe, en prolongement admirable d'un vers anodin de Sénèque, emprunt qui révèle le souci du dramaturge de recueillir jusqu'aux moindres miettes de l'héritage antique pour les faire fructifier. Par rapport à Phèdre enfin (affectionnée désormais de son époux), les raisons de l'absence de Thésée, simple pèlerinage chez Euripide, captivité aux enfers chez Sénèque, sont dans *Phèdre* à leur tour matière à variations personnelles destinées à justifier les démarches successives de la reine (son absence, la déclaration horrifiée à Œnone ; sa mort supposée, de l'invention de Racine, la déclaration à Hippolyte ; son retour de captivité aux confins des enfers, la déclaration calomnieuse), tandis que les réactions disparates de la nourrice, opposées chez Euripide et Sénèque, s'harmonisent ici, étant distribuées en fonction du sort du disparu : horreur sans voix quand il est cru vivant, encouragements dès qu'il est donné pour mort, changés en remontrances au refus du jeune homme — la complaisance à la toute-puissance de l'amour n'étant plus ici qu'un dernier recours, à la différence d'Euripide, à ce titre rejeté à l'acte IV. De la sorte, même à distance, le couple Phèdre-Thésée acquiert dans la construction dramatique une complémentarité d'une efficacité sans exemple.

Il est donc indéniable que c'est le retour aux sources de l'humanisme antique qui a garanti Racine contre l'affaiblissement progressif du motif au XVIIe siècle en avatar de la banale figure, sur fond de rivalité amoureuse involontaire entre père et fils, du couple d'innocents persécuté par une reine jalouse, à l'intérieur de laquelle les tragiques épreuves du scénario originel se combinent mal avec un fonds de sympathie nouveau en faveur des jeunes gens. Cependant Racine, ici encore soucieux de faire son profit de l'ensemble de la tradition, même récente et dévoyée, se fait accueillant aux accents lyriques du chant d'amour qui, de Tristan et Gilbert, s'enflent jusqu'à Pradon, mais dépouillés dans *Phèdre* de toute complaisance quant à la responsabilité de l'héroïne. Il intègre de même le ressort de l'espoir autorisé par le renoncement à l'adultère pour étoffer son intrigue, et pour réitérer à l'acte III, après Gilbert, la démarche de l'héroïne par le biais d'Œnone — non sans la caution probable de la Didon de Virgile renvoyant sa sœur auprès d'Énée —, tout en s'empressant de la faire avorter du fait du retour de Thésée. Surtout, il exploite le ressort moderne de la jalousie introduit par Tristan dans le thème de Crispe, dont il devient chez lui le moteur exclusif, quoique mis en œuvre, bizarrement, à l'encontre de l'amante et non du héros ; mais là encore Racine prend garde, même s'il étend l'idée de la vengeance amoureuse jusqu'à Aricie, de ne recourir au thème qu'à titre complémentaire, à l'acte IV, alors que le scénario central touche à son terme — et pour garantir au contraire son plein effet à la calomnie, en inhibant pour un temps chez la reine tout retour de remords. Bref, l'entreprise délibérée de contamination des sources menée par Racine a pour résultat de conférer aux héros la double condition « ni tout à fait coupable ni tout à fait innocente », comme dit la préface, conforme au statut de la tragédie selon Aristote.

Or, en dernière analyse, cette alchimie qui compose en un fondu sans disparate un savant dégradé de tons et de registres empruntés ne doit son unité qu'à la manière propre de Racine, qui réussit à les intégrer à sa dramaturgie personnelle, faite de luttes entre proches, conformément à la leçon d'Aristote, déclenchées par une crise politique comme d'usage dans la tragédie de son temps, qui n'est toutefois utilisée que pour exacerber jusqu'à leur paroxysme le jeu de passions primordiales. À cet égard, *Phèdre* concentre même en un unique personnage les deux types d'héroïnes raciniennes, combinant, parmi d'autres exemples, les scrupules d'Atalide dans *Bajazet* aux fureurs de Roxane. Et pourtant, dans le détail de l'écriture, et parfois de la conception, fourmillent en un véritable florilège les souvenirs estompés de la lyrique antique, de Sapho à Théocrite et Ovide en passant par Virgile, déjà filtrés à l'intention du public mondain par la poésie galante contemporaine. À ce titre également, comme à tant d'autres, c'est l'intégralité d'une tradition culturelle millénaire, rendue presque immédiatement palpable, qui se trouve orchestrée dans *Phèdre* de manière absolument originale.

NOTE SUR LA PRÉSENTE ÉDITION

Conformément à l'usage, nous reproduisons le texte de *Phèdre* tel qu'il a été publié en 1697 dans la dernière édition des *Œuvres* de Racine publiée de son vivant. Les rares variantes des éditions antérieures (1677 et 1687) sont données dans les notes.

Dans la présentation, nous avons modernisé l'orthographe et normalisé l'emploi des lettres capitales. Dans un souci de cohérence, nous avons renoncé à maintenir certaines licences orthographiques à la rime que les éditeurs de Racine ont adoptées lorsque l'orthographe a pris son aspect moderne et que l'on trouve dans toutes les éditions actuelles. Car écrire *revoi* (v. 155) pour *revois* — sous le prétexte que *revoi* doit aussi rimer « pour l'œil » avec *moi* au vers suivant — se justifierait si cette licence avait été instaurée par Racine lui-même : il n'en est rien, puisque dans toutes les éditions publiées du vivant de Racine c'est *revoy* et *moy* que l'on trouve, comme il était d'usage au XVIIe siècle où l'on se contentait de transcrire le son indépendamment de la forme grammaticale.

En revanche, nous avons strictement respecté la ponctuation d'origine, même si elle peut quelquefois dérouter le lecteur du XXe siècle. Il n'en va pas, en effet, de la ponctuation comme de l'orthographe, qui ressortit aujourd'hui à une stricte codification de nature objective. La ponctuation relève d'un usage non codifié et son emploi a obéi à des fonctions différentes selon les périodes. Elle sert aujourd'hui à signaler les ruptures d'ordre syntaxique, mais aussi — ce qui laisse la porte ouverte à la subjectivité de chaque éditeur — d'ordre sémantique : certains mettront « : » avec une nuance explicative, là où d'autres auraient préféré « . », ou « , », ou encore « ; ». Au XVIIe siècle, dans les textes de poésie et de théâtre en vers, il s'agissait avant tout de marquer le rythme des vers ou des périodes. Contrairement à une opinion largement répandue, elle n'était pas toujours laissée à la fantaisie ou à l'ignorance des protes [1], surtout lorsque les auteurs prenaient soin de l'édition de leurs œuvres, ce qui était particulièrement le cas de Corneille et de Racine : il suffit précisément d'observer sa régularité d'une édition à l'autre, pour se convaincre qu'elle a été contrôlée par Racine ; et quand on sait le prix qu'accordait celui-ci aux nuances de la déclamation, on se doit de respecter une ponctuation qui fait « respirer » le vers beaucoup mieux que notre ponctuation actuelle trop attachée à découper la phrase en ensembles grammaticaux, ou qui, à l'inverse, introduit des coupures à l'intérieur d'ensembles syntaxiques homogènes afin de marquer des tons ou des intensités. Ainsi du v. 1566 : « Dis-lui, qu'avec douceur il traite sa captive. » Inadmissible aujourd'hui, cette virgule qui sépare un verbe de sa proposition complétive doit être comprise comme une virgule d'intensité. Ainsi encore de la plainte si célèbre de Phèdre : « Ariane, ma sœur ! De quel amour blessée / Vous mourûtes aux bords où vous fûtes laissée ? » Le point d'exclamation (confirmé par la majuscule qui le suit) brise ce que les éditeurs modernes de Racine ont interprété — en lui substituant une virgule — comme une continuité doucement élégiaque : force est de constater que Racine avait en tête une autre lecture de ce vers. Nous laissons aux metteurs en scène de *Phèdre* contemporains le soin d'en tirer les conséquences.

1. Ce n'est que dans la dernière édition de ses *Œuvres*, non contrôlée par Racine lui-même, au dire de son fils Louis, qu'apparaissent des aberrations : mais il s'agit, dans la presque totalité des cas, de points rajoutés en fin de vers (v. 297, 365, 544, 610, 636, 751, 1414, 1417, 1515, 1629 ; et deux points d'interrogation aux v. 949 et 1646) ; pour tout le reste, la ponctuation est demeurée, à quelques détails près, la même que dans les éditions précédentes. Ce qui tendrait à prouver que si Racine avait effectivement préparé cette dernière édition, il n'a pas pu ou n'a pas voulu — elle a paru deux ans avant sa mort — relire les épreuves.

PHÈDRE À LA SCÈNE

Comme toutes les pièces de Racine depuis *Andromaque* — *La Thébaïde* et *Alexandre le Grand* avaient été créés par la troupe de Molière —, *Phèdre* a été montée par la troupe des Grands Comédiens de l'Hôtel de Bourgogne. De la distribution originelle, deux noms seulement nous sont connus avec certitude : le rôle d'Aricie était tenu par Mlle d'Ennebaut (« Une grosse Aricie, au cuir rouge, aux crins blonds »), et le rôle de Phèdre par Mlle de Champmeslé, épouse du comédien Champmeslé (qui joua probablement Thésée), actrice préférée de Racine — qui fut longtemps son amant —, et considérée comme la plus grande comédienne de son temps. On connaît le mot de Mme de Sévigné à l'occasion de *Bajazet* cinq ans plus tôt : « Racine fait des comédies pour la Champmeslé ; ce n'est pas pour les siècles à venir. Si jamais il n'est plus jeune et qu'il cesse d'être amoureux, ce ne sera plus la même chose. » On en a déduit qu'il aurait composé *Phèdre* pour répondre au vœu de la comédienne qui lui aurait demandé « un rôle où toutes les passions qui peuvent agiter le cœur féminin fussent exprimées ». Si l'anecdote a été forgée probablement au XVIIIe siècle, elle est néanmoins significative : Racine a pu effectivement se laisser aller à donner au personnage de Phèdre une importance et une richesse qu'il n'avait connues dans aucune version antérieure de la légende, parce qu'il savait qu'il avait à sa disposition une actrice exceptionnelle qui était à la hauteur de ce rôle. Dans ses *Mémoires sur la vie et les ouvrages de Jean Racine* (1747), son fils Louis explique que le poète « avait formé la Champmeslé » : « Il lui faisait d'abord comprendre les vers qu'elle avait à dire, lui montrait les gestes, et lui dictait les tons, que même il notait [1]. » De son côté l'abbé Du

1. [In] *Œuvres complètes*, éd. R. Picard, Pléiade, tome I, p. 41.

Bos avait noté en 1719 que « Racine avait enseigné à la Champmeslé la déclamation du rôle de Phèdre vers par vers [1] ».

Il est significatif aussi que les contemporains n'aient retenu que l'extraordinaire prestation de la Champmeslé, au détriment de tous les autres acteurs : autant que le talent de l'actrice, l'importance du rôle qu'elle avait à soutenir — près de cinq cents vers — ne pouvait qu'attirer tous les yeux sur elle. Et il en a presque toujours été ainsi depuis trois siècles : jusqu'à ce que, au cours du deuxième tiers du XXe siècle, l'art de la mise en scène renouvelle l'approche des œuvres classiques, l'histoire des représentations de *Phèdre* se confond avec celle des actrices qui ont incarné le personnage éponyme : Adrienne Lecouvreur, la Dumesnil et la Clairon au XVIIIe siècle ; Mlle Duchesnois, et surtout Rachel [2] et Sarah Bernhardt [3] pour le XIXe.

Le XXe siècle, qui voit la naissance véritable de la mise en scène, n'ose guère dans un premier temps s'attaquer à Racine. Certains des « monstres sacrés » de la deuxième moitié du XIXe siècle sont encore en activité — Mounet-Sully jouait encore Oreste en 1907 ; Julia Bartet, Bérénice en 1919 ; Sarah Bernhardt, Phèdre en 1920 —, et les « rénovateurs », de Copeau à Jouvet, se sentent inhibés devant une œuvre qui a été réduite à un art de l'interprétation confié à de « grands tragédiens ». C'est seulement avec Gaston Baty en 1939-1940 qu'apparaît la première mise en scène de Racine qui se présente comme une *lecture personnelle* de son théâtre : la pièce choisie était justement *Phèdre* (théâtre Montparnasse).

Non que cette lecture reposât sur une interprétation nouvelle de la tragédie : la Phèdre de Baty était déjà celle de Chateaubriand et de Sainte-Beuve, une Phèdre chrétienne et janséniste. Mais c'était la première fois que cette lecture constituait le fondement d'une dramaturgie. Ce n'est pas, en effet, une Phèdre coupable d'aimer celui qu'il ne faut pas que Baty voulait mettre en scène :

1. *Réflexions critiques sur la poésie et la peinture* (1719), 3e partie, section XVIII.

2. « Quand elle s'est avancée, pâle comme son propre fantôme, les yeux rougis dans son masque de marbre, les bras dénoués et morts, le corps inerte sous de belles draperies à plis droits, il nous a semblé voir, non pas Mlle Rachel, mais bien Phèdre elle-même » (Théophile Gautier, *La Presse*, 24 janvier 1843).

3. « Non, vous n'imaginez pas l'infinie variété de ses intonations, l'élégance morbide de ses attitudes et de ses gestes, l'intensité de désespoir qui se dégage de toute sa personne, et cette divine poésie dont elle est entourée toujours comme d'un brouillard lumineux. C'est d'une beauté achevée. C'est l'idéal dans la perfection » (Francisque Sarcey). Par ailleurs le jeu de Sarah Bernhardt a été décrit par Proust dans *À la recherche du temps perdu*, Pléiade, t. 2, p. 992 : Esquisse II d'*À l'ombre des jeunes filles en fleurs* (" [Sarah Bernhardt dans *Phèdre*] "), et Esquisse III. On comparera avec le jeu de la Berma inspirée par cette grande actrice dans *À l'ombre des jeunes filles en fleurs*, Pléiade, t. 2, p. 432-443.

à ses yeux, elle n'était coupable ni d'inceste ni d'adultère puisqu'elle déclarait sa passion seulement lorsqu'elle apprenait la mort de Thésée ; « le véritable péché de Phèdre, ce n'est pas l'inceste, c'est le désespoir [1] ». Mais faire de Phèdre une chrétienne pécheresse n'impliquait pas pour autant de rejeter totalement la dimension antique et de transformer toute la tragédie en cérémonie louis-quatorzienne : « Nous n'emmenons le spectateur ni dans le Péloponèse, ni à Versailles, ni à Port-Royal, mais dans un lieu théâtral irréel qui les concilierait tous les trois et qui nous paraît le seul où Phèdre puisse vivre totalement [2]. » De fait, cette combinaison se retrouvait aussi bien dans le décor (tapisseries à évocations mythologiques de part et d'autre de la scène ; lustres et torchères de type versaillais ; dépouillement de l'ensemble), que dans les costumes (Thésée, Phèdre et Théramène en habits suggérant « une imprécise antiquité [3] » ; Hippolyte et Aricie en costumes louis-quatorziens ; Œnone et Panope en robes sombres et austères), et que, surtout, dans le travail de découpage du texte même de Racine. Pour que Phèdre fût parfaitement au centre de cet espace symbolique, il fallait en effet supprimer du texte tout ce qui pouvait contredire cette lecture. Aussi 233 vers furent-ils coupés, choisis de telle sorte que leur suppression faisait disparaître la dimension mythologique des exploits de Thésée, la dimension politique des relations entre les personnages, la dimension amoureuse de la relation Hippolyte-Aricie (dont le rôle amputé de 58 vers était diminué de moitié) ; et, significativement, la pièce se terminait sur les dernières paroles de Phèdre mourante, sans que Thésée pût énoncer son éternel désespoir et sa tentative de rachat de son inconséquence criminelle par l'adoption d'Aricie [4]. Le travail sur le jeu et la diction des acteurs — particulièrement de Marguerite Jamois, interprète du rôle de Phèdre — allait dans le même sens. Refusant aussi bien la tradition déclamatoire que la tentation naturaliste, Baty exigea de ses comédiens qu'ils disent le vers racinien en « laissant chanter le rythme », allant jusqu'à leur faire prononcer tous les *e* muets : la diction devait s'accorder au jeu même, personnages éloignés les uns des autres, attitudes hiératiques, gestes appuyés. Dans le cas de Phèdre elle-même, il s'agissait ainsi de suggérer la lecture même du rôle par Baty, une

1. « *Phèdre* et la mise en scène », [in] *Rideau baissé*, Bordas, 1949, p. 191.
2. *Ibid.*, p. 195.
3. *Ibid.*, p. 194.
4. Pour plus de détails sur l'ensemble de ces coupes, voir la thèse d'Anne-Françoise Benhamou, *La Mise en scène de Racine de Copeau à Vitez* (Université Paris III, 1983, 3 vol.).

Phèdre toute en intériorisation de son péché, éloignée de la violence sensuelle des interprètes traditionnelles : « Cette Phèdre-ci a tout son feu dans la tête et non dans les entrailles [1]. » Cette mise en scène toute de partis pris dut sans doute à la période troublée du début de guerre de ne pas susciter de polémiques : les réserves des critiques furent mesurées, conscients pour la plupart que « pour la première fois, les moyens spécifiques du théâtre étaient mis au service d'une vision globale et cohérente de la dramaturgie de Racine [2] ».

Trois ans plus tard, en pleine occupation allemande, Jean-Louis Barrault, sur les instances de Marie Bell, monta *Phèdre* à la Comédie-Française (1942), d'après une lecture en tout point opposée à celle de Baty, inspirée sans doute autant par des convictions personnelles que par les réserves qui ont accueilli la *Phèdre* de Baty et le jeu de Marguerite Jamois [3]. Approche prétendument « objective » de la pièce, refus de la tragédie janséniste au profit d'une tragédie de la sexualité, luxe décoratif du spectacle, recherche d'une stylisation de la diction et du geste. Cependant, ces partis pris n'avaient pas la cohérence de ceux de Baty et débouchèrent sur une mise en scène contradictoire où la stylisation venait buter sur la tentation naturaliste de la *virilité* d'Hippolyte (Jacques Dacqmine) et de la *sensualité* de Phèdre (Marie Bell).

Après ces premières « lectures », la déception qui accueillit la *Phèdre* de Jean Vilar en 1957 au Théâtre National Populaire fut à la mesure de l'attente qu'avaient créée les réussites précédentes du metteur en scène dans sa tentative d'inscrire les classiques au répertoire d'un théâtre populaire. Gêné par une œuvre qui lui paraissait destinée aux « monstres sacrés » (de fait, il confia le rôle de Phèdre à Maria Casarès), et d'où la dimension héroïque qu'il affectionnait chez Corneille est absente, il choisit le parti pris d'une direction d'acteurs minimale, véritable « laisser faire » que lui a reproché la critique, où cohabitaient l'interprétation naturaliste de Maria Casarès et la déclamation stylisée d'Alain Cuny : « En *laissant faire*, Vilar ne pouvait ignorer que la *Phèdre* qui s'élaborerait sans lui ne serait nullement une *Phèdre* négative, la preuve d'une impossibilité, mais au contraire une *Phèdre* lourde de tous les préjugés passés [4]. »

1. Robert Kemp, *Le Temps* (11 mars 1940) ; cité par A.-F. Benhamou, *op. cit.*, p. 89.
2. Jean-Jacques Roubine, *Lectures de Racine*, Armand Colin, 1991.
3. Voir Jean-Louis Barrault, *Mise en scène de « Phèdre »*, Seuil, 1946.
4. Roland Barthes, « Dire Racine », *Théâtre populaire*, n° 29, mars 1958 ; repris dans *Sur Racine*, Seuil, 1963, p. 142.

À partir de la *Phèdre* de Jean Meyer à la Comédie-Française en 1959, les mises en scène se ressentent des approches contradictoires et quelquefois polémiques de l'œuvre de Racine par la critique savante. Si la dimension sociopolitique de la pièce a été jugée trop secondaire pour permettre des interprétations qui la privilégieraient, à la différence de *Bérénice* et de *Britannicus* [1], les mises en scène oscillent désormais entre une *Phèdre* inscrite dans le XVIIe siècle qui l'a vue naître (les travaux érudits de Raymond Picard sur *La Carrière de Jean Racine* y sont pour quelque chose) — c'est notamment la tentative « archéologique » de Jean Meyer avec sa *Phèdre* versaillaise et hiératique —, et une *Phèdre* intemporelle (ou archaïque), œuvre d'un Racine poète de la passion, dans laquelle s'expriment les interprétations psychologiques ou psychanalytiques d'une partie de la critique (Charles Mauron, Roland Barthes) — c'est, entre autres, la même année 1974, la *Phèdre* « archaïque » de Pierre Bourseiller [2], ou la *Phèdre* « démente » de Michel Hermon [3].

Au cours des vingt dernières années, la mise en scène la plus marquante de *Phèdre* — celle qui a été jugée la plus novatrice depuis Gaston Baty — a été celle d'Antoine Vitez en 1975 au Théâtre des Quartiers d'Ivry. Cherchant à faire ressortir la force et la polysémie du texte et à empêcher toute possibilité d'identification théâtrale de la part du spectateur en soulignant l'étrangeté de ce même texte, Vitez a fait porter son effort d'une part sur le décor et les costumes qui, en évoquant précisément le XVIIe siècle, ouvraient sur l'arrière-plan politique de la monarchie louis-quatorzienne, d'autre part et surtout sur la versification : en utilisant toutes les possibilités rythmiques et musicales du texte, soulignées par un recours au chant et à l'accompagnement musical, Vitez voulait mettre en relief le langage, porteur selon lui de tout le tragique racinien, ce qui permettait, par un travail spécifique, de « distancier » le sens le plus prosaïque (ou le plus traditionnellement psychologique) et d'éviter en même temps que l'évocation matérielle du XVIIe siècle ne soit qu'une reconstitution archéologique.

Depuis la création de Vitez, les mises en scène qui ont attiré le plus d'attention sont (paradoxalement ?) des expériences menées par des metteurs en scène étrangers sur des scènes étrangères —

1. Voir les retentissantes mises en scène de *Bérénice* par Roger Planchon au Théâtre de la Cité (Villeurbanne) en 1966, et de *Britannicus* par Jean-Pierre Miquel à la Comédie-Française en 1978.
2. Créée au Centre Dramatique National du Sud-Est.
3. Théâtre du Petit-Odéon.

par Luca Ronconi au Teatro Stabile de Turin en 1984 ; par Peter Stein à la Schaubühne de Berlin en 1987. Non que *Phèdre* ne continue pas à être considérée comme le chef-d'œuvre de Racine par les metteurs en scène français d'aujourd'hui. Mais les raisons qui expliquent que *Phèdre* vienne seulement en troisième position après *Andromaque* et *Britannicus* dans le nombre total de représentations depuis trois siècles — la difficulté liée au rôle écrasant du personnage de Phèdre, la double dimension de l'œuvre, louis-quatorzienne et mythique — continuent de faire reculer nombre de metteurs en scène. Et ceux qui s'y risquent ne sont pas toujours à l'abri de la critique, témoin en 1993 la mise en scène de Jean-Marie Villégier, au Théâtre de l'Est Parisien.

REPÈRES BIBLIOGRAPHIQUES

L'ampleur considérable de la bibliographie racinienne nous a conduit à présenter ci-après une sélection très étroite des travaux publiés au cours des cinquante dernières années. Sauf exception (et sauf en ce qui concerne la tragédie de *Phèdre* elle-même), nous n'avons pas retenu les articles de revues.

I. ÉDITIONS

RACINE, *Œuvres complètes*, par Raymond Picard, Bibliothèque de la Pléiade, Gallimard, 1951, vol. I.

RACINE, *Œuvres complètes*, par Georges Forestier, Gallimard, « Bibliothèque de la Pléiade », 1999, t. I.

RACINE, *Théâtre complet*, par Jacques Morel et Alain Viala, Garnier, 1980.

RACINE, *Théâtre complet*, par Jean-Pierre Collinet, Gallimard, 1982-1983 (coll. « Folio », 2 vol.).

RACINE, *Théâtre complet*, par Philippe Sellier, Imprimerie nationale 1995 (coll. « La Salamandre », 2 vol.).

II. TRAVAUX SUR RACINE

BACKÈS, Jean-Louis, *Racine*, Seuil (Écrivains de toujours), 1981.

BARNWELL, Harry T., *The Tragic Drama of Corneille and Racine. An Old Parallel Revisited*, Oxford, Clarendon Press, 1982.

BARTHES, Roland, *Sur Racine*, Seuil, 1963.

BENHAMOU, Anne-Françoise, *La Mise en scène de Racine de Copeau à Vitez*, thèse de doctorat de 3e cycle, Université Paris III, 1983 (3 vol.).

BERNETT, Charles, *Le Vocabulaire des tragédies de Jean Racine : analyse statistique,* Paris-Genève, Champion-Slatkine, 1983.

BUTLER, Philip, *Classicisme et baroque dans l'œuvre de Racine,* Nizet, 1959.

DECLERCQ, Gilles, « Représenter la passion : la sobriété racinienne », *Littératures classiques,* 11, 1989, p. 69-93.

DELCROIX, Maurice, *Le Sacré dans les tragédies profanes de Racine,* Nizet, 1970.

DESCOTES, Maurice, *Les Grands Rôles du théâtre de Jean Racine,* PUF, 1957.

DUBU, Jean, *Racine aux miroirs,* SEDES, 1992.

ELLIOT, Revel, *Mythe et légende dans le théâtre de Racine,* Minard, 1969.

FRANCE, Peter, *Racine's Rhetoric,* Oxford, Clarendon Press, 1965.

FREEMAN, Bryant C., et BATSON, Alan, *Concordance du théâtre et des poésies de Racine,* Ithaca, Cornell Univ. Press, 1968.

GOLDMANN, Lucien, *Le Dieu caché,* Gallimard, 1956.

GUÉNOUN, Solange, *Archaïque Racine,* New York, Peter Lang, 1993.

GUTWIRTH, Marcel, *Jean Racine : un itinéraire poétique,* Univ. de Montréal, 1970.

HAWCROFT, Michael, *Word as Action. Racine, Rhetoric and Theatrical Language,* Oxford, Clarendon Press, 1992.

HEYNDELS, Ingrid, *Le Conflit racinien, esquisse d'un système tragique,* Bruxelles, éd. de l'Université de Bruxelles, 1985.

HUBERT, Judd D., *Essai d'exégèse racinienne. Les secrets témoins,* Nizet, 1956.

KNIGHT, Roy C., *Racine et la Grèce,* Boivin, 1950.

MAURON, Charles, *L'Inconscient dans l'œuvre et la vie de Jean Racine,* Ophrys, 1957.

MAY, Georges, *Tragédie cornélienne, tragédie racinienne. Étude sur les sources de l'intérêt dramatique,* Urbana, University of Illinois Press, 1948.

MOREL, Jacques, *Racine,* Bordas, 1992.

MOURGUES, Odette de, *Autonomie de Racine,* Corti, 1967.

NIDERST, Alain, *Les Tragédies de Racine. Diversité et unité,* Nizet, 1975.

PICARD, Raymond, *Corpus racinianum,* Belles Lettres, 1956 ; augmenté sous le titre : *Nouveau Corpus racinianum,* éd. du CNRS, 1976.

PICARD, Raymond, *La Carrière de Jean Racine,* Gallimard, 1956.

POMMIER, Jean, *Aspects de Racine,* Nizet, 1954.

POMMIER, René, *Le « Sur Racine » de Roland Barthes,* SEDES, 1988.

POULET, Georges, *Études sur le temps humain,* t. 1 et 4, Plon, 1950 et 1967.

RATERMANIS, Janis B., *Essai sur les formes verbales dans les tragédies de Racine. Étude stylistique,* Nizet, 1972.

ROHOU, Jean, *L'Évolution du tragique racinien,* SEDES, 1991.

ROHOU, Jean, *Racine entre sa carrière, son œuvre et son Dieu,* Fayard, 1992.

ROHOU, Jean, *Jean Racine. Bilan critique,* Nathan, 1994.

ROUBINE, Jean-Jacques, *Lectures de Racine,* Armand Colin, 1971

SCHERER, Jacques, *Racine et/ou la cérémonie,* PUF, 1982.

SELLIER, Philippe, « Le jansénisme des tragédies de Racine. Réalité ou illusion ? », *Cahiers de l'Association Internationale des Études Françaises,* XXXI, mai 1979, p. 135-148.

SPENCER, Catherine, *La Tragédie du prince. Étude du personnage médiateur dans le théâtre tragique de Racine,* Paris-Seattle-Tübingen, P.F.S.C.L./Biblio 17, 1987.

SPITZER, Leo, « L'effet de sourdine dans le style classique : Racine » (1931), [in] *Études de style,* Gallimard, 1970 p. 208-335.

STAROBINSKI, Jean, « Racine et la poétique du regard », [in] *L'Œil vivant,* Gallimard, 1961.

TOBIN, Ronald W., *Racine and Seneca,* Chapell Hill, Univ. of North Carolina Press, 1971.

VIALA, Alain, *Racine. La Stratégie du caméléon,* Seghers, 1990.

VINAVER, Eugène, *Racine et la poésie tragique,* Nizet, 1951.

WEINBERG, Bernard, *The Art of Jean Racine,* Univ. of Chicago Press 1963.

ZIMMERMANN, Éléonore, *La Liberté et le destin dans le théâtre de Racine,* Saratoga (Californie), Anma Libri, 1982.

III. ÉTUDES SUR *PHÈDRE*

BÉNICHOU, Paul, « Hippolyte requis d'amour et calomnié », [in] *L'Écrivain et ses travaux,* Corti, 1967, p. 237-323.

COLLINET, Jean-Pierre, « Ariane : un fil pour " Phèdre " », [in] *Hommages à Suzanne Roth,* ABDO, 1994, p. 227-236.

DALLA VALLE, Daniela, « Le mythe de Phèdre et l'histoire de Fauste : superposition et mélange », [in] *Horizons européens dans la littérature française,* Tübingen, Gunter Narr Verlag, 1988, p. 127-137.

DAY, Richard, « La poétique du récit de Théramène », *Papers on French Seventeenth Century Literature,* XVII, 33, 1990, p. 465-480.

DEJEAN, Joan, *Sapho. Les Fictions du désir : 1546-1937,* Hachette, 1994, p. 77-84.

DELMAS, Christian, « La mythologie dans *Phèdre* », et « Poésie et folklore d'après *Phèdre* », *Mythologie et mythe dans le théâtre français,* Genève, Droz, 1986.

ÉMELINA, Jean, « Racine et Quinault : de *Bellérophon* à *Phèdre* », [in] *Hommage à Jean Onimus,* Les Belles Lettres, 1979, p. 71-81.

FUMAROLI, Marc, « Entre Athènes et Cnossos ; les dieux païens dans *Phèdre* », *Revue d'histoire littéraire de la France,* 1993, p. 30-61 et 172-190.

HALL, Gaston H., « À propos de *Phèdre.* Quatre schémas mythologiques », [in] *La Mythologie au XVIIe siècle,* C. Faisant et L. Godard de Donville éd., 1982, p. 91-97.

MAULNIER, Thierry, *Lecture de « Phèdre »,* Gallimard, 1943.

MÉRON, Évelyne, « De l'*Hippolyte* d'Euripide à la *Phèdre* de Racine : deux conceptions du tragique », *XVIIe siècle,* 100, 1973, p. 35-54.

NEWTON, Winifred, *Le Thème de Phèdre et d'Hippolyte dans la littérature française,* Droz, 1939.

NORMAN, Buford, « Liturgical Structures in Racine's *Phèdre* », *Papers on French Seventeenth Century Literature,* XV, 29, 1988, p. 593-607.

ORLANDO, Francesco, *Lecture freudienne de « Phèdre »* (1971), Les Belles Lettres, 1986 (pour la trad. française).

PINEAU, Joseph, « La poétique de Racine : l'emploi des mots " amour " et " aimer " dans *Phèdre* », *Mélanges de littérature française, offerts à M. René Pintard,* Strasbourg, Centre de Philologie et de Littératures romanes, 1975, p. 209-228.

PINEAU, Joseph, « Sur la culpabilité de Phèdre », *La Licorne,* 20, 1991, p. 41-50.

PUZIN, Claude, *Phèdre,* Nathan, 1990.

SELLIER, Philippe, « De la tragédie considérée comme une liturgie funèbrc, *Phèdre* », *L'Information littéraire,* XXXI, 1979, p. 11-15.

SUPPLE, James J., « Phèdre's Guilt : a Theatrical Reading », [in] *The Seventeenth Century. Directions Old and New,* Elizabeth Moles and Noel Peacock éd., Glasgow, Univ. of Glasgow, 1992, p. 108-125.

TOBIN, Ronald W., « *Les Trachiniennes* et *Phèdre.* D'un poison à l'autre », [in] *Ouverture et dialogue. Mélanges W. Leiner,* Tübingen, Gunter Narr Verlag, 1988, p. 421-427.

VALÉRY, Paul, « Sur Phèdre femme » (1942), *Variété V,* Gallimard, 1944.

VENESOEN, Constant, « Genèse mythologique du " Récit de Théramène ", *Papers on French Seventeenth Century Literature,* 30, 1989, p. 233-252.

NOTES

Page 27.

1. Le titre de l'édition originale (1677) est *Phèdre et Hippolyte* (titre inchangé dans les impressions de 1678 et de 1680). Voir la préface, p. 22.

Page 29.

1. C'était déjà le cas de la tragédie précédente, *Iphigénie* (1674). Euripide avait écrit deux pièces sur le sujet, *Hippolyte voilé,* qui a disparu, et *Hippolyte porte-couronne* (428 avant J.-C.).

2. Le texte de l'éd. de 1697, que nous suivons dans cette édition, porte : « m'a paru plus éclatant ». Nous rétablissons l'article qui figurait dans les éditions précédentes.

3. Au chapitre XIII de sa *Poétique,* Aristote (IVᵉ siècle avant J.-C.) explique à quelles conditions la tragédie peut susciter la pitié et la crainte (Racine dit « la compassion et la terreur »). Ces deux émotions ne lui paraissent pas pouvoir être excitées par le malheur d'un homme juste, ni, pour des raisons différentes, par celui d'un méchant : « Reste donc le cas intermédiaire. C'est celui d'un homme qui, sans atteindre à l'excellence dans l'ordre de la vertu et de la justice, doit, non au vice et à la méchanceté, mais à quelque faute, de tomber dans le malheur » (trad. R. Dupont-Roc et J. Lallot, Seuil, 1980).

Page 30.

1. Outre Euripide, Sénèque (philosophe et auteur tragique latin du Iᵉʳ siècle après J.-C.) avait écrit une *Phaedra.*

2. « Mon corps a subi la violence » (v. 892).

3. Nous ne savons pas qui dans l'Antiquité a pu critiquer la perfection d'Hippolyte. Mais Racine a pu déduire cette critique

du chapitre XIII de la *Poétique* (voir ci-dessus p. 29, n. 3) où Aristote juge que le malheur d'un homme juste ne peut provoquer que de la répulsion (ou comme le dit Racine à la phrase suivante de l'« indignation »).

4. C'est en fait la dimension romanesque et galante de la tragédie française du XVIIe siècle qui a conduit Racine, à la suite de plusieurs de ses prédécesseurs, à transformer en amoureux le sauvage Hippolyte des modèles antiques. Il dissimule son obéissance aux codes de la tragédie française en la faisant passer pour un respect envers les critères aristotéliciens de la tragédie (le héros doit commettre une faute), suivant en cela Corneille, qui dans son *Discours de la tragédie* avait estimé que Rodrigue et Chimène « ne sont malheureux qu'autant qu'ils sont passionnés l'un pour l'autre. Ils tombent dans l'infélicité par cette faiblesse humaine dont nous sommes capables comme eux » (Corneille, *Œuvres complètes,* G. Couton éd., vol. III, Pléiade, 1987, p. 146).

Page 31.

1. Virgile, *Énéide,* livre VII, v. 761-769.

2. Voir en particulier les *Tableaux de Philostrate,* dont la traduction par Blaise de Vigenère parut en 1615.

3. Plutarque, « Vie de Thésée », dans *Les Vies des hommes illustres,* Pléiade, 1951, vol. I.

4. Contrairement à ce que dit Racine (et à ce qu'il fera dire à Thésée au v. 958), ce n'est pas la femme, mais la fille du roi que, selon Plutarque (éd. cit., p. 31), Pirithoüs voulait enlever. Ce roi des Molosses présentait la particularité d'habiter l'Épire où l'Achéron, le fleuve des enfers, prenait sa source ; de s'appeler Aïdonée, qui était l'un des noms d'Hadès (ou Pluton), dieu des enfers ; d'avoir surnommé sa femme ainsi que sa fille Proserpine, comme s'appelait la femme d'Hadès ; et enfin d'avoir appelé son chien Cerbère. Probablement ce jeu d'équivalences est-il de l'invention des historiens grecs, soucieux de rationaliser le mythe de Thésée : l'épisode de la descente aux enfers s'accordait mal avec la volonté de présenter Thésée comme un personnage historique. Pour l'évocation mythique de la descente aux enfers, voir les v. 383-388 et la n. 1 de la p. 54.

Page 32.

1. Légende rapportée par Diogène Laërce (*Vies, doctrines et sentences des philosophes illustres,* livre II, chap. V).

2. Cette longue défense des qualités morales de la pièce et l'insistance sur le but moral du genre de la tragédie s'inscrivent

dans le cadre de la « querelle de la moralité du théâtre » qui remonte aux Pères de l'Église et a connu une grande virulence au XVIIe siècle (tout particulièrement entre 1664 et 1669, au moment de la bataille de *Tartuffe*), les courants rigoristes de l'Église et les jansénistes reprochant au théâtre d'« empoisonner les âmes ». Racine avait déjà pris parti dans cette querelle en publiant en 1666 une *Lettre à l'auteur des Hérésies imaginaires et des deux Visionnaires* (à savoir le janséniste Pierre Nicole) où il défendait l'innocence du divertissement théâtral (Racine, *Œuvres complètes*, Pléiade, vol. II, 1952, p. 11-31). On voit que dix ans plus tard, conviction ou opportunisme, il exprime l'opinion convenue que le théâtre doit non seulement divertir mais instruire.

Page 35.

1. L'isthme de Corinthe, qui unit la presqu'île du Péloponèse au reste de la Grèce, sépare la mer Ionienne et la mer Égée. Pour suggérer que l'enquête de Théramène l'a conduit sur toutes les côtes grecques baignées par ces deux mers, Racine nous fait suivre le voyage de son personnage selon un arc de cercle qui part du nord-ouest de la Grèce (l'Épire, où le fleuve Achéron passait pour donner sur les enfers), descend la côte ouest du Péloponèse (l'Élide) jusqu'à la pointe sud (le promontoire du Ténare, qui était aussi une entrée des enfers), et va jusqu'à la partie la plus orientale de la mer Égée (la mer Icarienne qui borde l'Asie Mineure).

Page 36.

1. Les frasques amoureuses de Thésée étaient aussi célèbres que ses exploits guerriers (voir plus loin les v. 74-94). L'ironie tient ici au fait que, si la disparition de Thésée est bien le résultat d'une équipée amoureuse, le héros s'est contenté d'accompagner son ami Pirithoüs (voir III, 5, v. 957-970).

2. Le projet que Racine prête ici à Hippolyte rappelle le voyage de Télémaque, fils d'Ulysse, qui quitta Ithaque pour rechercher son père et pour fuir son palais livré aux débauches des prétendants de sa mère Pénélope (voir Homère, *Odyssée*, chants II-IV).

3. Var. *d'Athènes, de la cour* 1677
d'Athènes et de la cour 1687

L'ultime correction de 1697 élimine l'« s » à la finale d'Athènes pour conformer l'orthographe à la prononciation. La leçon de 1687 présentait le défaut d'inviter les récitants à faire la liaison avec le mot suivant (« et »), empêchant ainsi l'élision du « e » muet dans *Athènes*, et conduisant ainsi à un vers de 13 syllabes.

4. Chagrin : humeur chagrine (cf. chagriner, v. 38).

5. Minos : fils de Zeus et d'Europe, il fut roi de Crète et devint après sa mort l'un des trois juges des enfers. Sa femme, Pasiphaé, fille du Soleil, lui donna un fils, Androgée, et plusieurs filles, dont Ariane et Phèdre (voir l'arbre généalogique, p. 154. Pour punir Minos d'avoir oublié de lui sacrifier un taureau blanc qu'il lui avait envoyé, le dieu Poséidon inspira à Pasiphaé une furieuse passion pour ce taureau : de leur union contre nature naquit le Minotaure (que tua Thésée ; cf. le v. 82). Ce vers fameux, loin d'avoir « le mérite suprême de ne signifier absolument rien », comme le dit un personnage ridicule de Proust, est au contraire la plus parfaite illustration poétique du déchirement qui caractérise le personnage de Phèdre dans la pièce.

Page 37.

1. Var. *quel péril* 1677

2. Les Pallantides étaient les fils de Pallas (ou Pallante), frère d'Égée. S'étant longtemps considérés comme les héritiers de celui-ci, Pallas et ses fils attaquèrent Athènes lorsqu'ils apprirent qu'Égée venait de reconnaître Thésée pour son fils ; un certain nombre d'entre eux tendirent une embuscade à Thésée et ils furent tous exterminés. Plutarque précise qu'Égée était seulement le fils adoptif de Pandion, père de Pallas. Racine suivra cette version en faisant reconnaître par Hippolyte que, Thésée mort, Aricie est l'héritière légitime du trône (II, 2, v. 494 - 497).

3. Superbe : fier, hautain (cf. v. 67 « fier » : farouche).

Page 38.

1. Hippolyte est le fils d'Antiope (quelquefois elle-même nommée Hippolyte), reine des Amazones (cf. p. 58, n. 2). Sur ses relations avec Thésée, les légendes divergent (voir Plutarque, « Vie de Thésée », éd. cit., I, p. 25-28).

2. Alcide est le premier nom d'Hercule. Retenu par amour auprès d'Omphale (cf. le v. 122), il avait cessé de purger la terre de monstres et de brigands (voir v. 80) : Thésée prend alors sa suite. Pour plus de détails sur cette série d'exploits, voir les *Métamorphoses* d'Ovide (livre VII, v. 433 - 444), ainsi que la « Vie de Thésée » de Plutarque (éd. cit., I, p. 7-10 ; p. 12-17 pour l'épisode du Minotaure).

3. Pour les exploits amoureux de Thésée, voir encore Plutarque (*ibid.*, p. 28-31). L'enlèvement d'Hélène par Thésée joue un rôle très important dans la tragédie précédente de Racine, *Iphigénie*, le

personnage d'Ériphile y étant présenté comme le fruit secret de cette union. Quant à Péribée, elle épousa ensuite Télamon, roi de Salamine, et donna naissance à Ajax, héros de *L'Iliade* et de la tragédie de Sophocle qui porte son nom.

4. Ce vers fait référence aux plaintes d'Ariane écrites par les deux plus grands poètes élégiaques latins, Catulle (pièce LXIV) et Ovide (*Héroïdes,* X, lettre d'Ariane à Thésée).

5. Ravir à la mémoire : soustraire à la mémoire des hommes.

Page 39.

1. Le texte de l'éd. de 1697 porte : « les yeux », ce qui est manifestement une erreur d'impression ; nous rétablissons donc l'adjectif possessif qui figurait dans les éditions précédentes. De même au vers 118, le même texte porte inexplicablement « ennemi » au masculin : nous rétablissons le féminin, suivant la leçon des éditions précédentes.

2. Hercule, s'étant fait l'esclave de la reine de Lydie, Omphale, acceptait de porter des robes de femme et de filer la laine à ses pieds.

Page 40.

1. On lit dans l'*Hippolyte* de Gabriel Gilbert (v. 552-555) :

> *Dites-moi, seriez-vous du nombre des vivants,*
> *Auriez-vous de lauriers la tête couronnée,*
> *Si la belle Antiope eût fui l'hyménée ?*
> *Pouvez-vous l'honorer et ne l'imiter pas ?*

2. Neptune (nom latin de Poséidon), dieu de la mer et des cours d'eaux, était aussi surnommé « le maître des chevaux ».

Page 41.

1. Toutes les éditions publiées du vivant de Racine donnent ici la forme archaïque *s'assit.*

Page 43.

1. C'est dans cette entrée en scène de Phèdre que Racine s'est le plus inspiré de l'*Hippolyte* d'Euripide (v. 177-246).

2. Fureur : accès de folie (désigne en particulier le fol amour, conformément à la pathologie classique des passions, aux v. 672, 792, 853, 989).

3. Charme : sortilège (cf. v. 391, etc.).

Page 44.

1. Verbe au singulier : accord de proximité.

2. Les v. 199-212 sont encore inspirés d'Euripide (v. 304 - 314).

Page 47.

1. Ennui : tourment (cf. v. 459, etc.).

2. Si l'évocation successive de sa mère et de sa sœur provient d'Euripide (v. 337-341), ainsi que d'Ovide (*Héroïdes*, X, v. 55 - 62), ce dernier vers est repris d'*Antigone* de Sophocle (v. 891).

Page 48.

1. Ce refus de prononcer le nom, dont la seule évocation rend Phèdre coupable, figurait déjà chez Euripide (« C'est de ta bouche, non de la mienne que ce nom est sorti » : v. 350 - 352), mais l'hémistiche lui-même — « c'est toi qui l'as nommé » — est directement emprunté à Gabriel Gilbert (*Hippolyte*, I, 2, v. 131).

2. Cette description du trouble physique provoqué par le choc amoureux est inspiré de la plus célèbre ode de la poétesse Sapho, abondamment imitée par les poètes de l'Antiquité (Catulle) et de la Renaissance, et dont Boileau avait donné une traduction en publiant (1674) le traité *Du Sublime* du pseudo-Longin dans lequel il est cité :

Je sens de veine en veine une subtile flamme
Courir par tout mon corps sitôt que je te vois ;
Et dans les doux transports où s'égare mon âme,
Je ne saurais trouver de langue ni de voix.

Un nuage confus se répand sur ma vue ;
Je n'entends plus ; je tombe en de douces langueurs ;
Et pâle, sans haleine, interdite, éperdue,
Un frisson me saisit, je tremble, je me meurs.

3. Comme l'explique la Phèdre de Sénèque (*Phèdre*, v. 124 - 128), c'est toute la race du Soleil (Phèdre descend du Soleil par sa mère Pasiphaé) que Vénus poursuit de sa haine : le Soleil avait découvert et montré à Vulcain et aux autres dieux l'adultère de Mars et de Vénus.

Page 50.

1. Brigue insolente : cabale factieuse.

Page 51.

1. Ce nouveau malheur : ce malheur qui vient d'arriver.

2. Cf. le v. 2 d'*Andromaque* : « Ma fortune va prendre une face nouvelle » (fortune : sort).

Page 52.

1. C'est-à-dire la ville d'Athènes.
2. Juste : à juste titre, à bon droit.

Page 54.

1. Sur cette descente de Thésée aux enfers, voir les explications rationalistes de Racine dans sa préface (et la n. 4 de la p. 31) et l'interprétation qu'en donne Thésée lui-même aux v. 957-970. Les légendes situent en fait cet épisode après la mort de Phèdre. C'est parce qu'ils étaient veufs l'un et l'autre que les deux amis décidèrent d'enlever des filles de Zeus. Pirithoüs aida Thésée à enlever Hélène, et jeta lui-même son dévolu sur Perséphone (Proserpine) pourtant mariée à Hadès (Pluton), frère de Zeus et dieu des enfers. Celui-ci les fit enchaîner sur les « chaises d'oubli », et Hercule, descendu aux enfers quatre ans plus tard, ne parvint à délivrer que le seul Thésée. Le Cocyte est l'un des fleuves des enfers : ses eaux sont faites de larmes.

Page 55.

1. Bruit : rumeur élogieuse (cf. les « récits » rapportés du v. 405, et le v. 943).
2. Les Pallantides descendaient d'Érechthée, un des rois légendaires d'Athènes. Selon Homère, Érechthée n'avait pas d'ascendance humaine, mais avait jailli de la terre.
3. Les légendes, et Plutarque, parlent de cinquante Pallantides.

Page 56.

1. Neveux : descendants.
2. Généreux : qui dénote une noble race.
3. Courage : cœur.
4. Irrite : excite.

Page 57.

1. Pitthée, fils de Pélops, et fondateur de Trézène, avait eu une fille, Aethra, qu'il laissa s'unir avec Égée. Il éleva successivement son petit-fils, Thésée, qui naquit de cette union, et son arrière-petit-fils, Hippolyte.

Page 58.

1. Soin : attentions.
2. Hippolyte était fils de l'Amazone Antiope (voir le v. 69 et la

n. 1 de la page 38). Dans *Hippolyte* (v. 309), Euripide le fait traiter de bâtard par la nourrice de Phèdre.

3. Érechthée (voir le v. 421 et la n. 2 de la p. 55).

4. Voir le v. 53 et la n. 2 de la p. 37.

5. Ces deux vers synthétisent deux épisodes très distincts de la vie de Thésée et inversent l'ordre de leur déroulement. Le v. 499 renvoie au moment où Thésée vint à Athènes pour se faire reconnaître pour le fils d'Égée : Égée « en publique assemblée de tous les habitants de la ville déclara qu'il l'avouait pour son fils. Tout le peuple le reçut à grande joie pour le renom de sa prouesse » (Plutarque, « Vie de Thésée », éd. cit., I, p. 11). Le v. 498 évoque l'action civilisatrice de Thésée lorsqu'il devint roi d'Athènes après la mort de son père : « Il assembla en une cité, et réduisit en un corps de ville les habitants de toute la province d'Attique, lesquels auparavant étaient épars en plusieurs bourgs » (*ibid.*, p. 22).

Page 59.

1. Charme décevant : attraits enjôleurs (« décevant » : qui abuse les sens ; cf. « enchantée » au v. 437 : ensorcelée, séduite).

Page 60.

1. Déplorable : digne d'être plaint.
2. Trait : la flèche qui lui a été décochée par le dieu Amour.
3. Je m'éprouve : je me soumets à des épreuves.

Page 63.

1. Ombrages : on utilisait au XVIIe siècle indifféremment le singulier ou le pluriel.

Page 65.

1. C'est-à-dire du labyrinthe (cf. ci-après le v. 656).

Page 67.

1. « M'envie » est un latinisme : si ta haine me refuse un supplice qu'elle juge trop doux pour moi.

2. Ici Phèdre s'empare de l'épée d'Hippolyte dont elle veut se frapper, mais Œnone arrête son geste et l'entraîne, conservant ainsi l'épée. Chez Sénèque, qui a fourni à Racine la substance de toute cette scène, c'est Hippolyte lui-même qui tire son glaive pour tuer Phèdre : il s'apprête à l'égorger (« Voici que de ma main gauche j'ai courbé sa tête impudique en tordant ses cheveux » v. 707-708), mais comme elle l'y encourage, il la repousse, rejette

son épée et s'enfuit (« Non, va-t'en, vis, afin que tu n'obtiennes même pas cela de moi, et que le glaive même qu'a souillé ton contact quitte mon chaste flanc » : v. 713 - 714). Racine a préféré garder Hippolyte immobile et silencieux, laissant à Phèdre elle-même le soin d'interpréter le dégoût du jeune homme (v. 709 ci-dessus, et au début de l'acte III, v. 750 - 752).

Page 70.

1. Respirer quelque chose : aspirer à quelque chose. Le contexte indique que se superpose ici l'autre sens classique de respirer : laisser paraître, manifester. C'est de l'attitude d'Hippolyte (« Ciel ! comme il m'écoutait ! » : v. 743) que Phèdre déduit qu'il devait vouloir s'enfuir à tout prix.

Page 71.

1. Mon âme qui errait déjà sur mes lèvres prêtes à l'expirer.

Page 72.

1. Pour toutes les femmes. Employé ainsi absolument, « sexe » désigne toujours au XVIIe siècle le sexe féminin.

Page 73.

1. Les deux précédentes éditions (1677 et 1687) donnaient ici *peins-lui.*
2. Je confirmerai tout ce que tu diras.

Page 74.

1. Cette annonce du retour de Thésée est faite au v. 827, qui est le milieu exact de la tragédie (elle compte 1 654 vers).

Page 75.

1. Phèdre avait eu deux fils de Thésée : Acamas et Démophon.
2. Les fils de Thésée et de Phèdre étaient doublement du sang de Jupiter (Zeus) : Thésée descendait de lui par sa mère (Tantale, Pélops, Pitthée, Aethra, Thésée), Phèdre par son père Minos (fils de Jupiter et d'Europe).
3. Enfler leur courage : gonfler (d'orgueil) leur cœur.

Page 77.

1. Commettre : exposer.
2. De nombreuses éditions présentent ici *votre.* On trouve *notre* dans toutes les éditions publiées du vivant de Racine.

Page 79.

1. Sur le bruit de vos coups : au bruit glorieux de vos hauts faits.

Page 80.

1. Le roi des Molosses faisait combattre les prétendants de sa fille contre son chien Cerbère, sans doute plus féroce encore que les chiens de ce peuple, réputés pour leur sauvagerie (pour la substitution par Racine de la femme à la fille, voir ci-dessus, p. 31, n. 4). « Mais étant lors averti que Pirithoüs était venu, non pour requérir la fille en mariage mais pour la ravir, il le fit arrêter prisonnier avec Thésée : et quant à Pirithoüs, il le fit incontinent défaire par son chien et fit serrer Thésée en étroite prison » (Plutarque, « Vie de Thésée », éd. cit., I, p. 31). De la descente aux enfers primitive Racine conserve toutefois l'atmosphère surnaturelle d'un retour d'outre-tombe.

2. Var. *par qui j'étais gardé* 1677-1687

Page 81.

1. Troubler : contrarier.

Page 82.

1. Var. *Je ne sais où je vas* 1677

2. Voir la n. 1, p. 60.

Page 84.

1. Il semble qu'à la création de la pièce, un monologue de Thésée vînt s'intercaler à l'issue de la première scène. L'auteur anonyme (Subligny ?) de la *Dissertation sur les tragédies de Phèdre et Hippolyte,* rédigée avant la publication de *Phèdre,* écrit en effet : « Thésée [...] aussi persuadé de ce crime supposé que s'il s'était produit à ses yeux, s'amuse à faire des exclamations sur son énormité, au lieu d'aller chercher auprès de Phèdre ou d'Œnone des preuves plus solides de cette affreuse accusation » (p. 389).

2. Selon la même *Dissertation* (p. 390), le texte prononcé lors des premières représentations était « *chaste* maintien ». Racine l'aurait rapidement modifié pour retirer au public une occasion d'ironiser. « Et le parterre d'une commune voix fait le second vers en raillant, et dit d'un style burlesque :

Ne le prendrait-on pas pour un homme de bien ?

[...] Notre auteur a corrigé ce vers dans les dernières représentations, et au lieu de *chaste* [...] il a mis *noble,* et a toujours laissé ce *maintien* qui devait être changé plutôt que l'autre. »

3. La marque sacrée (par opposition à la profanation qu'est l'adultère, v. 1037).

4. Var. *ta fureur* 1677-1687
5. Ma mémoire : le souvenir que je laisserai de moi.

Page 85.

1. Rappelons que dans certaines légendes, Thésée passait aussi pour le fils de Poséidon (Neptune). D'ailleurs, chez Euripide, comme chez Sénèque, Thésée l'invoque en l'appelant « mon père » (*Hippolyte*, v. 885 ; *Phaedra*, 942).
2. Var. *Avares* 1677-1687

Page 86.

1. Éclater : manifester avec éclat.

Page 87.

1. Principes : origine, motif.

Page 88.

1. Au-delà des colonnes d'Hercule (le détroit de Gibraltar), c'est-à-dire au-delà des limites du monde connu par les Grecs.

Page 89.

1. Le Styx, fleuve des enfers. Même les dieux encouraient un châtiment (neuf années de léthargie et neuf années d'exil de l'Olympe) s'ils ne tenaient pas un serment prêté au nom de Styx.

Page 93.

1. Pourquoi me laissais-tu m'abuser ?
2. Les éditions du XVIIe siècle présentaient ici : *vu*, l'accord du participe ne se faisant pas lorsqu'il était suivi d'un infinitif.

Page 94.

1. Les écarter l'un de l'autre ; les séparer.
2. Respirer a ici un sens différent de celui qu'on trouvait au v. 745 : être empli de, être habité par.
3. Phèdre est la petite-fille du Soleil par sa mère, et de Zeus (Jupiter) par son père (voir la n. 5, p. 36).

Page 95.

1. Le fracas du tonnerre qui accompagne le foudroiement des criminels (cf. Thésée au v. 1045 : « Monstre, qu'a trop longtemps épargné le tonnerre »).

Page 96.

1. Nous suivons l'édition originale, les éditions de 1687 et 1697 présentant *Dieu* au singulier.

Page 97.

1. Ai-je dû : aurais-je dû.

Page 98.

1. Prendront notre querelle : prendront notre parti. Ces puissants défenseurs, Argos et Sparte, sont des cités du Péloponèse, comme Trézène sur laquelle règne Hippolyte.

2. Assemblant nos débris : conjuguant notre double ruine.

3. C'est en effet le trône paternel aussi bien pour Hippolyte (fils de Thésée) que pour Aricie (fille de Pallas).

Page 99.

1. Formidable : redoutable.

Page 100.

1. Timide : sujette à la crainte.

Page 102.

1. Gêne : torture.

2. M'étonne : m'épouvante.

Page 103.

1. Flatter : adoucir.

Page 105.

1. Ce récit très célèbre est un passage obligé du sujet de Phèdre et Hippolyte depuis son origine : à la suite d'Euripide, tous les poètes dramatiques (y compris les prédécesseurs français de Racine, ainsi que Pradon) ont cru nécessaire de lui réserver une place de choix. C'est donc un véritable exercice de réécriture, Racine suivant de près Euripide, empruntant des détails à Sénèque et à Ovide (*Métamorphoses*, XV, v. 506 et suiv.), et puisant quelques tours chez Gilbert. Dès le XVIIe siècle, des critiques ont reproché à Racine de sacrifier le naturel au profit du poétique, montrant par leur incompréhension qu'une dimension essentielle de la tragédie classique était en train de se perdre (c'est non seulement le cas de l'auteur de la *Dissertation sur les tragédies de Phèdre et Hippolyte,* mais aussi de Fénelon dans sa *Lettre à l'Académie,* citée par les frères Parfaict dans leur *Histoire du Théâtre français,* Le Mercier-Saillant, 1734-1749 [réimpr. en *fac-similé :* Genève, Slatkine Reprints, 1967], t. XII, p. 23-24).

2. Var. *sur les chevaux* 1677-1687

Page 106.

1. Var. *À travers les rochers* 1677-1687
2. Où reposent les froides reliques des rois, ses aïeux.

Page 107.

1. Détestant la lumière : maudissant la lumière du jour.

Page 109.

1. Ne découvrît : ne fît connaître.
2. Médée, après avoir fait périr le roi de Corinthe et sa fille (à l'aide d'une robe empoisonnée) et assassiné ses enfants, s'était réfugiée à Athènes auprès d'Égée. Elle tenta d'empoisonner Thésée lorsqu'il vint à Athènes pour se faire reconnaître comme le fils d'Égée.
3. La Phèdre d'Euripide se pendait, celle de Sénèque se poignardait : ici le poison de Médée vient glacer les veines brûlantes du poison de la fureur amoureuse (cf. v. 190).

ARBRE GÉNÉALOGIQUE

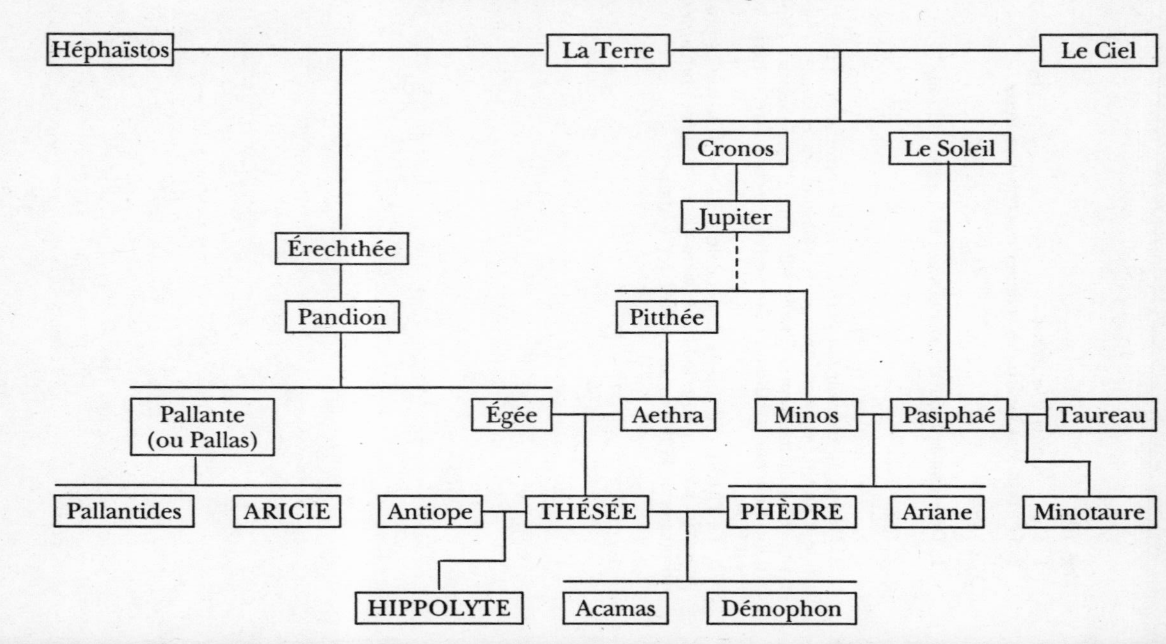

RÉSUMÉ

ACTE I. — Hippolyte est décidé à quitter le séjour de Trézène, son fief, pour partir à la recherche de son père Thésée disparu depuis six mois, à qui il rend un véritable culte ; son gouverneur, Théramène, lui fait avouer qu'il fuit plutôt, et non tant l'inimitié de Phèdre sa marâtre que l'amour d'Aricie, la jeune héritière des Pallantides écartée du trône d'Athènes par Thésée et vouée par lui au célibat (sc. 1). Œnone fait évacuer les lieux à l'approche de Phèdre qui, mourant d'un mal secret, veut revoir le jour (sc. 2). La reine, à bout de forces et dans un état second, fait ses adieux au Soleil son ancêtre, déclenchant les objurgations épouvantées et réitérées de sa nourrice ; elle donne finalement à entendre qu'elle meurt d'un amour odieux, dont elle laisse à Œnone à deviner l'objet, Hippolyte, avant de lui confesser son histoire (sc. 3). Survient une suivante, qui annonce la mort de Thésée et le partage d'Athènes entre les trois prétendants envisageables (sc. 4), ce qui porte Œnone à encourager sa maîtresse à la lutte, et à l'espoir d'une alliance avec Hippolyte (sc. 5).

ACTE II. — À Ismène qui lit la fin de sa condition d'otage dans la demande par Hippolyte d'un entretien avec elle, Aricie encore hésitante confie son amour et son estime pour le prince (sc. 1). Celui-ci s'offre à lui rendre le trône d'Athènes, et devant l'étonnement interrogatif d'Aricie laisse paraître son amour, qui a triomphé d'une sauvage résistance (sc. 2). Mais la princesse, non sans l'encourager brièvement, doit céder la place à la reine dont Théramène annonce qu'elle cherche à le rencontrer (sc. 3). Hippolyte donne ordre à Théramène de hâter son départ (sc. 4), et écoute Phèdre éperdue plaider la cause de son fils et essayer d'expliquer son inimitié et son propre désespoir ; sur un mot du jeune homme l'encourageant poliment à espérer en la survie de Thésée, elle réplique le retrouver en lui, plus noblement héroïque encore, et se laisse aller à récrire l'équipée du labyrinthe de Crète en sa compagnie. Puis, malgré une exclamation horrifiée du prince, elle déclare ouvertement sa passion et, devant son horreur muette, s'empare pour s'en tuer de son épée, qu'il lui abandonne tandis qu'Œnone l'entraîne (sc. 5) à l'arrivée de Théramène. Celui–ci informe Hippolyte qu'Athènes s'est déclarée pour Phèdre, mais que Thésée peut–être n'est pas mort (sc. 6).

ACTE III. — Phèdre toute à son humiliation refuse de recevoir les représentants d'Athènes malgré les appels d'Œnone à la raison, et pour tenter Hippolyte l'envoie lui proposer la couronne (sc. 1). Phèdre seule se plaint amèrement à Vénus et la prie de porter ses coups désormais sur Hippolyte (sc. 2), lorsque Œnone rentre brusquement : Thésée est de retour. Désespoir de Phèdre, qui songe à mourir pour échapper à l'opprobre ; mais la nourrice la pousse à prévenir la crainte qu'elle a d'Hippolyte en l'accusant la première, l'épée abandonnée faisant foi, et Phèdre acculée lui laisse carte blanche en voyant le prince aux côtés de Thésée (sc. 3), aux embrassements duquel elle se soustrait avec des paroles ambiguës sur sa honte (sc. 4). Hippolyte se dérobe lui-même aux questions de Thésée, et sollicite son congé pour éviter Phèdre à jamais, et entreprendre au loin une carrière héroïque à l'exemple de son père. Le roi, abasourdi d'un tel accueil après une longue et mortelle captivité, s'engage à venger sur-le-champ l'honneur de Phèdre, en enveloppant son fils dans ses soupçons (sc. 5), laissant Hippolyte désemparé et épouvanté, mais déterminé à déclarer et soutenir face à son père son amour pour Aricie (sc. 6).

ACTE IV. — Thésée accablé accorde foi à la dénonciation d'Œnone devant le faisceau concordant d'indices qu'elle énumère avant de se retirer auprès de sa maîtresse (sc. 1), et éclate à la vue d'Hippolyte, s'emportant jusqu'à le commettre, en sus de l'exil, à la vengeance de Neptune. Hippolyte, après avoir en vain invoqué sa vertu passée, car sa chasteté lui est reprochée par Thésée comme une couverture de ses amours illicites, met en avant son amour secret pour Aricie, qui laisse son père incrédule, et se retire désespéré tout en l'invitant à comparer son lignage à celui de Phèdre (sc. 2). Thésée ulcéré par tant d'outrages réprime en lui la voix du cœur (sc. 3), et révèle à Phèdre inquiète pour Hippolyte, en gage de son imposture, son amour prétendu pour Aricie (sc. 4). Phèdre atterrée se détourne de la cause d'un ingrat qui l'a méprisée pour une autre (sc. 5) ; elle se repaît devant Œnone des affres nouvelles de la jalousie en imaginant leurs amours, mais le vœu insensé de perdre à son tour Aricie la rappelle à la noirceur de ses forfaits face à ses aïeux, et elle refuse de se laisser aller à l'amour comme le lui propose Œnone, chassée sans ménagement et rendue responsable de son infamie (sc. 6).

ACTE V. — Hippolyte, à qui le respect humain interdit toute idée d'éclairer son père, convainc cependant Aricie de fuir avec lui le joug de Thésée en s'unissant au temple proche de Trézène (sc. 1). Celle-ci charge Ismène de préparer sa fuite, tandis qu'entre un Thésée en proie au tourment (sc. 2), qui, en lui jetant à la face l'amour d'Hippolyte pour Phèdre, essaie de tirer au clair les relations des jeunes gens. Aricie, liée par son serment à Hippolyte, ne peut que défendre la gloire du héros, non sans sous-entendus sur le compte de sa calomniatrice (sc. 3), laissant Thésée plus troublé que jamais, qui convoque Œnone derechef (sc. 4). Or celle-ci s'est jetée à la mer, et Phèdre en délire parle de mourir : Thésée entend rappeler son fils et suspendre sa malédiction (sc. 5), mais Théramène se présente en larmes pour apporter la nouvelle de sa mort, dont il fait le récit héroïque face au monstre marin. Il rapporte pour finir les dernières paroles du héros en faveur d'Aricie, qui s'est évanouie sur le corps de son amant (sc. 6). Phèdre survient, à qui Thésée bouleversé essaie de fermer la bouche, tout en se condamnant pour sa part à un exil expiatoire. Mais la reine rend justice au défunt, en se livrant à un bref exposé justificatif ; elle révèle s'être empoisonnée pour délivrer l'univers de son impureté, et meurt, laissant à son deuil Thésée qui, en réparation aux mânes d'Hippolyte, déclare adopter Aricie pour sa fille (sc. 7).

DU MÊME AUTEUR

Dans la même collection

BÉRÉNICE. *Édition présentée et établie par Richard Parish.*

BAJAZET. *Édition présentée et établie par Christian Delmas.*

IPHIGÉNIE. *Édition présentée et établie par Georges Forestier.*

MITHRIDATE. *Édition présentée et établie par Georges Forestier.*

ATHALIE. *Édition présentée et établie par Georges Forestier.*

LES PLAIDEURS. *Édition présentée et établie par Georges Forestier.*

ESTHER. *Édition présentée et établie par Georges Forestier.*

Dans la collection Folio Classique

THÉÂTRE COMPLET, tomes 1 et 2. *Édition présentée et établie par Jean-Pierre Collinet.*

ANDROMAQUE. *Préface de Raymond Picard. Édition établie par Jean-Pierre Collinet.*

PHÈDRE. *Édition présentée et établie par Raymond Picard.*

BRITANNICUS. *Édition présentée et établie par Georges Forestier.*

Composition et impression Bussière
à Saint-Amand (Cher), le 30 mai 2008.
Dépôt légal : mai 2008.
1er dépôt légal dans la collection : août 1995.
Numéro d'imprimeur : 081916/1.
ISBN 978-2-07-038763-2./Imprimé en France.

161610